ＳＦで身につく「科学」の教養

そろそろ
タイムマシンで
未来へ
行けますか？

齊田興哉
元JAXA

飛鳥新社

Q はじめに

本のタイトルの
そろそろ
タイムマシンで
未来へ行けますか？
の答えは……？

半分ホント

△

過去へ行くことは難しいかもしれないが、**未来へ行ける可能性はある。**

こちらが答えです。

「えっ、未来へ行けるんだ!?」と思われた方は、32ページからその理由を詳しく書いていますのでどうぞお読みください。

✷ 大人も子どもも、絶対に面白い「科学」の教養が身につく

本書は『バック・トゥ・ザ・フューチャー』や『ジュラシック・パーク』などの名作SFに登場する**「恐竜の復元」**や**「宇宙旅行」「タイムマシン」「空飛ぶスーツ」**といった、さまざまなテーマをQ&A方式で取り上げて、その作品の「ウソホントト」、

つまり「本当にできるのか？」という視点であれこれ解説しています。

昔の名作ＳＦを見ると、「面白い」のはもちろんですが、当時不可能と思われたものが、テクノロジーが進んで少しずつ実現可能になってきていることに心から驚かされます。中にはすでに実現したものも数多くあるのです。

本書はＳＦ映画、マンガ、小説などが少しでも好きな方はもちろん、**ほんのちょっぴりでも科学に興味があれば、どなたにも絶対に面白い内容**になっています。

ここで、私の自己紹介をさせてください。

私は、学生時代に核融合の分野で工学博士という学位を取得しました。そして、大学の先生になる夢を絶たれて、ＪＡＸＡ（宇宙航空研究開発機構）という日本の宇宙開発を担うところに入りました。

そこで、日本の人工衛星２機の開発を手掛けました。ロケットによる打ち上げも、人工衛星の運用も経験し、会社員としては最後に株式会社日本総合研究所のシンクタンク部門に勤務しました。

現在はフリーランスとして宇宙ビジネスのコンサルティングなどを行っております。

そんな私の強みは、自分で申し上げるのもなんですが、世界の最新、そしてマニアックなテクノロジーに精通し、さらにはビジネスや未来の視点かつ、個人の趣味の視点で考察（妄想）することです。

この強みを活かして、本書を執筆しました。

楽しみながら「科学」のキホンが自然と身につけられるのはもちろん、見方を変えれば、次のような方にもお役に立てるかもしれません。

昨今、未来予想系の書籍がたくさん世に出ています。

未来予想系の書籍が流行る理由は、おそらくこの先が不透明で見通せないという不安をおもちの方が多いからでしょう。

日本は将来どうなるのだろう。

先進国のまま、豊かな国のままでいられるのだろうか。

生き方やビジネススキルはどうすればいいのだろうか。

現在の社会課題はどうなるのだろうか。

——そんな不安があっても本書を読めば未来を見すえることができます。

また、会社員の方や起業を考えている方であれば、新しいアイデアや事業を考えつく必要があります。

そんなとき、未来にマッチするビジネスはなんだろう、と知りたくなりますよね。

本書は**世界のテクノロジーの最新情報やベンチャー企業の動向も取り入れていますので、新しいビジネスのヒントになる**でしょう。

ぜひとも仕事や人生に活かしてください。


少し小難しいことも取り上げますが、なるべくかんたんに解説してみました。

「へー」「えー!?」などと知的好奇心がくすぐられる内容になっていますので、まずは気軽に楽しんでもらえたら幸いです。

齊田興哉

はじめに …… 3

Q1 『銀河鉄道999』みたいにいつか私たちも気軽に宇宙に行ける？ …… 17

✷ 宇宙旅行の醍醐味はやっぱりホテル滞在!? …… 21
✷ 前澤友作さんの宇宙旅行は50億円!? …… 22
✷ 2027年オープンをめざす巨大な宇宙ホテル …… 24
✷ オプショナルツアーは宇宙遊泳！ …… 27
✷ アポロ計画以来の月面着陸の計画とは …… 29

Q2 そろそろ『バック・トゥー・ザ・フューチャー』のように、タイムマシンで過去や未来に行ける？ …… 31

✷ アインシュタインによるタイムマシンの作り方 …… 33
✷ AIによるタイムトラベルは可能!? …… 37
✷ タイムトラベルが実現する日 …… 38

Q3 『ジュラシック・パーク』のように死んだ恐竜を生き返らせることはできますか？ …… 41
✷ 驚きのマンモス復元計画 …… 43
✷ 未来は「ジュラシック・パーク」ができるかも？ …… 47
✷ 死んだ人を生き返らせることはできる!? …… 49
Q4 『未知との遭遇』のようにUFOと交信できるのでしょうか？ …… 51
✷ 現代科学では解明できないUFOの驚くべきテクノロジー …… 54
コラム 今は当たり前のテクノロジー、昔は**SF**だった！① …… 58
Q5 『E.T.』のような宇宙人は存在するの？ …… 59
✷ 『スター・ウォーズ』の世界もありえる？「ドレイクの方程式」 …… 62
✷ 地球人の存在はすでに宇宙人にバレている？ …… 64
✷ 太陽系の外には、宇宙人は100パーセント存在する!? …… 68
コラム 今は当たり前のテクノロジー、昔は**SF**だった！② …… 70

Q6 いつかは、『ロズウェル』みたいに地球で宇宙人と交流できますか？……71
✴ 国際宇宙ステーションＩＳＳで見つかった生命体とは？……75
✴ 火星なら生命体が生きられるかも？……76
Q7 科学が発展したら『スパイダーマン』になれますか？……79
✴ スパイダーマンに今、一番近い存在は？……82
Q8 『ドラゴンボール超』のザマスみたいに不老不死になれますか？……85
✴ 不老不死の生き物は存在する？……88
✴ 未来の死因は老すいだけになるかも？……91
Q9 『アイアンマン』のように特殊スーツで空を飛べるってホント？……93
✴ 空を飛ぶだけじゃなくてパワーアップは？……96

Q10 『ドラゴンボール』のスカウターのように見るだけで、その人の能力値を知る機械はできますか？……99
✷ サッカーをやっている人はイケメン揃い？……101
✷ 表情から感情だって把握できちゃう現代……102
コラム 今は当たり前のテクノロジー、昔はSFだった！③……104
Q11 『攻殻機動隊』の光学迷彩みたいにステルススーツで自分の身を隠すことはできますか？……105
コラム 今は当たり前のテクノロジー、昔はSFだった！④……108
Q12 映画やアニメに出てくるあこがれの透明人間にいつかはなれる？……109
Q13 『ブラックホール』みたいにブラックホールを見ることはできますか？……113
✷ 世界中の望遠鏡を結合させたプロジェクト……115
✷ ブラックホールがあるなら「ホワイトホール」もある!?……118
✷ ブラックホールでワープできるかもしれない!?……120

✷ ワープするときは時空がゆがむってほんとうですか？ …… 122
Q14 『天気の子』の主人公のように天気を操れますか？ …… 125
✷ 台風もコントロールできる時代が来る!? …… 127
Q15 『オデッセイ』の主人公みたいに火星で人間は生き延びられるのでしょうか？ …… 131
✷ 火星で農業をするには「うんち」が必要？ …… 136
✷ 宇宙の植物工場で野菜を育てる!? …… 138
✷ 植物の生長に重力は影響するのか …… 140
Q16 『斉木楠雄のΨ難』の斉木みたいに人の考えを読み取ることはできますか？ …… 141
✷ 脳波でモノを操るブレインテック時代 …… 144
Q17 『ノウイング』のように太陽の表面が大爆発すると地球は滅亡するんですか？ …… 147
✷ 次に太陽表面の爆発が起きるのは2025年！ …… 150

✷ 太陽風が夜空にキレイなカーテンを見せてくれる!! …… 151
✷ 太陽の磁場が反転したらどうなる? …… 153
✷ 地球の磁場は何度も反転していた! …… 154
Q18 『スペース・ライン』のように宇宙と地球をつなぐ「宇宙エレベーター」は実現できますか? …… 157
✷ 宇宙へのアクセスがかんたんになるかも! …… 160
Q19 『HEROS』のクレアみたいに、攻撃を受けてもノーダメージの体は作れますか? …… 163
✷ 「再生医療」の研究はどこまで進んでいる? …… 165
✷ 傷の治りを早めるテクノロジーはすでにある! …… 168
Q20 『マイノリティ・リポート』のように犯罪を予知して防止できますか? …… 171
✷ AI犯罪者を作る理由 …… 175

Q21 『ロボコップ』や『サイボーグ009』『仮面ライダー』のように、**人間をサイボーグ化**できますか？ …… 177

✷ 昆虫サイボーグは軍事目的？ …… 180

Q22 **ゴミをエネルギー源**にできる『バック・トゥ・ザ・フューチャー2』のデロリアンみたいなクルマを作れますか？ …… 183

✷ 生ゴミで動くクルマは作れる？ …… 186

✷ 水とアルミニウムだけでクルマを動かせる「現代のデロリアン」 …… 188

Q23 『キテレツ大百科』の「かべぬけ服」のように**物を貫通して進む**ことはできますか？ …… 191

✷ シュレーディンガー方程式とは何か？ …… 193

✷ 人間は壁を貫通することができるか？ …… 195

Q24 宇宙ってなにがあるの？『ゼロ・グラビティ』みたいに**ゴミがある**ってホント？ …… 197

✴「ダークマター」と「ダークエネルギー」の謎……200
✴地球のまわりの宇宙は人工物だらけ？　だからゴミも!?……201
✴ロケットの一部が月に衝突！……202
✴宇宙ゴミの数は1億個超え！……205
✴宇宙ゴミ回収サービスとは？……206
Q25『バイオハザード』のように人工的にウイルスを開発できる？……209
コラム　今は当たり前のテクノロジー、昔はSFだった！⑤……212
Q26『アンドリューNDR114』のようにロボットが子どもを育てることはできますか？……213
✴作れなくても人工子宮で育てることはできる？……216
✴未来はロボットが子育てするかも！……217
Q27『パッセンジャー』のように人工冬眠でずっと生きつづけることはできますか？……219

✷ 人工冬眠を利用すれば100年後に行ける？ …… 222

Q28 『スパイダーマン2』のように核融合で大きなエネルギーは得られますか？ …… 225

✷ 核融合発電はなぜ難しい？ …… 228

✷ 核融合発電が原子力発電とは違うわけ …… 229

Q29 『太陽は動かない』に出てきた宇宙太陽光発電は近いうちに実現する？ …… 231

✷ 宇宙太陽光発電システムは夢の計画!? …… 234

Q30 『The One：導かれた糸』のように科学的に運命の相手を見つけられますか？ …… 237

✷ AIによるマッチングはもうはじまっている！ …… 240

おわりに …… 242

著者エージェント／penlight 遠山怜
編集協力／大西華子
校正／矢島規男
本文イラスト／みわまさよ

金額等の情報はすべて2023年2月時点のものです。
また、1ドル＝120円換算で計算しています。

Q ウソホント 1

『銀河鉄道999』みたいにいつか私たちも気軽に宇宙に行ける？

A

ホント

○

気軽な宇宙旅行が実現する可能性はめちゃくちゃ高いです！

『銀河鉄道999』は、主人公の鉄郎がメーテルから銀河鉄道の切符（定期券）をもらい、宇宙へと旅立ちます。こんなふうに、いつか私たちも電車に乗るように気軽に宇宙に行けるようになるのでしょうか。

２０２１年、起業家の前澤友作さんが宇宙に行ったニュースが話題になりましたが、これは前澤さんが大富豪だから実現した話です。

まだ残念ながら、私たちがかんたんには行ける時代ではありませんが、**未来には海外旅行に行くのと同じ感覚で宇宙へ行けるようになる**、私はそう確信しています。

そんな宇宙旅行ですが、実はたくさんの種類があります。たとえば、

・**大気圏旅行**

銀河鉄道999
（1977年～　松本零士原作）

裕福な人は機械の体となり永遠の命を得る近未来、貧しい少年・鉄郎が機械の体をただでくれるという星に行くため、謎の美女メーテルとともに銀河鉄道999に乗り込む。銀河鉄道は高価だが切符があれば誰でも乗ることが可能で、途中さまざまな星に寄る。

- **サブオービタル旅行（高度100キロ程度に上昇して地上に帰ってくる飛行）**
- **宇宙ホテル旅行**
- **宇宙遊泳**
- **月旅行**

などです。このうち大気圏旅行はまだ実現されていませんが、時間の問題でしょう。

サブオービタル旅行、宇宙ホテル旅行は前澤さんによってもう実現されました。宇宙遊泳、月旅行は厳しい訓練を突破した宇宙飛行士がすでに行っていますが、私たち一般人はまだできません。しかし、テクノロジーとしては完成したものがあるので、そう遠くない未来に実現されるでしょう。

みなさんは、どの宇宙旅行に行ってみたいですか？

このなかで近い将来、比較的気軽に行くことができるようになるのは、**「大気圏旅行」**と**「サブオービタル旅行」**でしょう。

まず、大気圏旅行は、空気で満たされたカプセルに乗って気球に似た仕組みで空へと上昇していく旅行になります。大気圏は地球から高度10～50キロまでになります。

ここで鋭い読者は気づかれたことでしょう。そう、この大気圏旅行は、宇宙へは行っていないのです。

しかし、**大気圏から見る景色は、宇宙から地球を見るのと大きく変わらない**と言います。このカプセル内で結婚式や豪華パーティーなんてしたら最高でしょうね。ちなみに宇宙へは行ってないため、ほかの宇宙旅行に比べて価格は安めです。２０２２年時点では、数千万円程度の価格設定になっているようです（私のような庶民にはじゅうぶん高いですが……）。

そしてもうひとつ、比較的旅行料金が低めな宇宙旅行としてサブオービタル旅行があります。「サブオービタル」とは高度１００キロ以上の宇宙に行って帰ってくるというもので（ちなみに「オービタル」は人工衛星などの周回軌道のこと）、**高度１００キロ以上に数分間滞在して無重力体験を楽しめる**のです。

アマゾン創業者のジェフ・ベゾス氏の宇宙開発企業「ブルー・オリジン」やヴァージングループ会長による企業「ヴァージン・ギャラクティック」は、２０２１年にすでに民間人を乗せてこのサブオービタル旅行に成功しています。

✴ 宇宙旅行の醍醐味はやっぱりホテル滞在!?

しかしやはり、宇宙旅行と言えば、「宇宙空間に漂うホテルに数日間滞在する」――そんなイメージが強いのではないでしょうか。

残念ながら現在は「宇宙ホテル」はありません。

「え、ちょっと待って！　前澤友作さんが宇宙で滞在したところは？」とツッコミをいただきそうですね。

前澤友作さんの宇宙旅行は50億円⁉

実は、先ほど「前澤さんが宇宙ホテル旅行を実現した」と言ったのは、「宇宙ホテル的な旅行をした」という意味です。

正確には前澤さんが滞在したのは**「国際宇宙ステーション-ISS（アイエスエス）」**で、ホテルではないんです。ＩＳＳは宇宙という特殊な環境を利用できる実験施設です。

大きさはサッカーコートくらいで、最大7人の宇宙飛行士が滞在できます。

そこに前澤さんは、宇宙ホテル旅行のように滞在しました。

前澤さんの旅行費用はおおよそ50億円とも言われています。

しかも、前澤さんは**ロシアの宇宙飛行士訓練センターで専門的な訓練を１００日**

国際宇宙ステーションISS

地球地上から約400キロ上空に建設された巨大な有人実験施設。宇宙空間で唯一、人類が活動している施設である。重力の影響を受けにくい、宇宙だけの特殊な環境を利用したさまざまな実験や研究がここで行われている。天候や場所などの条件がそろうと、地上から明るい動く光点として見ることができる。

間受けて試験に合格し、ようやく宇宙へと飛び立てました。

前澤さんが受けた訓練を少し紹介しましょう。

たとえば、「セントリフュージ」という高速回転することで模擬重力を体にかける巨大な装置があります。これで、前澤さんは最大8G（ジー）もの重力を体験し、緊急脱出などで発生する急激なGで失神しないかを確認されました。

また宇宙では無重力状態で一日中過ごさなければなりません。

そこで、事前に地球で飛行機の急降下を使って無重力環境を作り出し、その中で宇宙服を着たり脱いだり、縦横無尽に移動したりする訓練をします。

前澤さんの旅行費用について触れましたが、これには訓練費用も含まれています。つまり、今のところ、宇宙滞在には普通の会社員では絶対に稼げない途方もないお金と大変な訓練が必要なのですね……。

では、未来の気軽な宇宙ホテル旅行はほんとうに実現するのでしょうか。

私は確実に実現すると考えています。

米国企業の「アクシアム・スペース」「ビゲロー・エアロスペース」などが現在、宇宙ホテルの建設を計画しています。国際宇宙ステーションＩＳＳと同じように地球から高度４００〜５００キロ付近の宇宙に建設されるでしょう。

アクシアム・スペースは、老朽化が進むＩＳＳの民営化を手がける予定で、ほかにも独自の商業用宇宙ステーションの建設も計画していることで知られています。

また、ビゲロー・エアロスペースも、独自の宇宙ステーションの建設をめざす企業です。すでにＩＳＳに、「膨張式宇宙用住居（ＢＥＡＭ）」という「拡張可能なモジュール（ふくらむことで大きくなる空間をもつ施設）」を接続することに成功し、実証実験も行っています。

２０２７年オープンをめざす巨大な宇宙ホテル

ホテルと言うと私たちは、地球上のビジネスホテルをイメージすると思いますが、

ちょこちょこ違います（笑）。

専門家の計画や私の想像（現実味のある）を含めて紹介しましょう。

宇宙ホテルの部屋には、大きな窓があり、そこからキレイな宇宙や青い地球を見られる空間となっているでしょう。

地上のホテルでもオーシャンビューやマウンテンビューなどの部屋があるように、宇宙ホテルには**「アースビュー（地球を眺める）」**や**「スペースビュー（宇宙を眺める）」**なんていう部屋があり、料金設定が変わることもあるかもしれませんね。

そして、宇宙では天地（上下）の定義

がなくなりますから、たとえば、ベッドを横に置く必要がありません。壁に沿って縦に置かれるかもしれません。体が浮いてしまわないように固定するためのベルトが付けられることでしょう。

トイレは、よく見かけるものとは姿形が違い、シートベルトで体を固定しながら用を足して、無重力でうんちやおしっこが飛び散らないように吸引します。

またシャワーはなく、基本はタオルで体を拭くことになります。

一方で、「ゲートウェイ・ファウンデーション」という米国企業は巨大な宇宙ホテルを建設する計画を立てています。これは宇宙ホテルというより「スペースコロニー」と言ったほうがしっくりくるかもしれません。

スペースコロニーとは、ホテルのように短期間滞在するのではなく、長期に渡って、もしくは死ぬまで住み、生活できる宇宙施設のことです。

この宇宙ホテルの特徴は、人工的に重力を作れることです。観覧車のように回転することで、ホテル内には遠心力が発生します。ホテルの床に人が立ったとき、その下の方向にこの遠心力が働くようにすれば、地球の地面や床に立っている感覚と同じになります。つまり、この遠心力が重力のような働きをするのです。するとと、地球上と同じような生活ができるので、前述したベッド、トイレ、シャワーなどは地球と同じようなものが使えるのです。

ちなみに宇宙ホテルの料金ですが、２０２３年時点で１泊あたり数億円が相場のようです。２０２７年オープンをめざすそうですが、どんな大富豪が泊まるのでしょうか……。

オプショナルツアーは宇宙遊泳！

私たちは旅行に行ったとき、オプショナルツアーに申し込むことがあります。これと同じようなことが宇宙ホテル旅行でもできると考えています。

たとえば、実際に宇宙ホテルの外の宇宙空間に出てみるツアーです。そう、「宇宙遊泳」ですね。

まだ私の想像ですが、**「宇宙服を着たままホテルの外を歩くツアー」「命綱をつけた状態で宇宙空間へと放たれるツアー」**なんていうのもできると思っています。バンジージャンプのイメージです。

しかし、まだまだ課題があります。「宇宙の外へ出るための宇宙服」の開発が途上なのです。

この服を**「船外宇宙服（せんがいうちゅうふく）」**と言いますが、着るのがとっても大変です。

宇宙服では、真空である宇宙空間で服がふくらまないように宇宙服の内部の気圧を0・3気圧と下げた状態にします。1気圧という宇宙ホテルの環境にいた人が、宇宙服を着るときに周りが約0・3気圧という低い気圧だと、体の組織にとけ込んでいた窒素が微小な気泡となって毛細血管を詰まらせる「減圧症（げんあつしょう）」になる危険があります。スキューバダイビングのライセンスをもたれている方であれば、減圧症はご存知かもしれません。

そのため、ゆっくりと時間をかけてその環境に体を慣らしながら宇宙服を着なければいけないのです。かかる時間は、ざっと見積もっただけでも13時間以上。

これでは、まだ私たちがオプショナルツアーを申し込む気にはなりにくいですね。

✷アポロ計画以来の月面着陸の計画とは

しかし、この宇宙服も改良が進められています。

米国が主導しているビッグプロジェクトの「アルテミス計画」では、２０２２年11月16日、第1弾である超大型ロケット「ＳＬＳ」が無人宇宙船「オリオン」とともに打ち上げられました。オリオンは順調に月を周回し、そして２０２２年12月、計画どおり、無事地球へと帰還しました。このアルテミス計画では、**アポロ計画以来の人類の月面着陸が計画されている**のです。

そのため、そのときに着用する次世代宇宙服を開発中です。こちらは、宇宙服の下半身が動きやすくなっています。たとえば、ジョイントベアリングという部品を改良することで、お尻やひざ部分が曲げやすくなったりしているようです。

実は、１９７２年のアポロ計画時代の映像で、当時の宇宙服を着ているハリソン・

シュミット宇宙飛行士が月面でモノを拾うときに、ひざを曲げてしゃがんだものの、つまずいて転んでいるシーンがあります。これは当時の宇宙服が動きにくかったためだと言われています。

また、開発中の宇宙服では、宇宙での活動可能な時間が、従来の7・5時間から9時間へと長くなっているのも特徴だそうです。

ただし、残念ながら、この次世代船外宇宙服の開発は遅れているようです。

2022年6月に「アクシアム・スペース」と「コリンズ・エアロスペース」がアルテミス計画で使われる新型宇宙服の開発を担当する企業に選定されています。早く私たちも着られる宇宙服が開発されるといいですね。

おそらく2040年以降、宇宙は未来の旅行先の人気ナンバー1になっているでしょう。

Q ウソホント 2

そろそろ
『バック・トゥ・ザ・フューチャー』
のように、
タイムマシンで
過去や未来に行ける？

半分ホント

過去へ行くことは難しいかもしれないが、未来へ行ける可能性はある。

「タイムマシン」と言われて多くの人が思い浮かべるのは、マンガ『**ドラえもん**』の机の引き出しから乗るタイムマシンや、映画『**バック・トゥ・ザ・フューチャー**』のデロリアンなどでしょう。

共通しているイメージは、タイムマシンに人が乗って急加速する。その後、急に空間から消えるというシーンです。突然消えてしまうのがなんともタイムマシン感を醸(かも)し出(だ)してワクワクしますね。

過去や未来に行ってみたい思いは誰にでもあるのではないでしょうか。

少し身近なタイムマシンの例を紹介しましょう。それは、新幹線です。

バック・トゥ・ザ・フューチャー
（1985年　ロバート・ゼメキス監督）

架空の都市ヒルバレーに住む高校生マーティが、親友の科学者ドクの作ったデロリアン改造タイムマシンで1955年にタイムトラベルすることで起きる騒動を描く。デロリアンには次元転移装置が積まれており、本作での燃料はプルトニウムだった。

「えっ、新幹線!?」と驚かれたでしょう（笑）。

たとえば東京から博多まで時速300キロで移動するとしましょう。すると博多には10億分の1秒遅れて到着します。これは**新幹線の外では10億分の1秒だけ早く時が進んだ**ことになります。

つまり、10億分の1秒だけ「未来」に行くことになるのです。

しかしさすがに10億分の1秒では未来に行ったとは思えないですよね……。

✷アインシュタインによるタイムマシンの作り方

この新幹線の例ではなく、実際に未来に行くことは、物理学者のアルベルト・アインシュタインが考え出した「相対性理論（そうたいせいりろん）」では可能かもしれません。もう少し正確に言うと、「相対性理論」の中の**「特殊（とくしゅ）相対性理論」**になります。

相対性理論では、次ページのような時間を表す式があります。これがタイムトラベルを示しています。

ドラえもん
（1969年〜　藤子・F・不二雄作）

22世紀からタイムマシンでやってきた猫型ロボット・ドラえもんが、さまざまな未来の道具で勉強もスポーツも苦手な少年・のび太を助けていく日常を描く。タイムマシンの出入り口はのび太の机の引き出し。

特殊相対性理論において時間が延びることを表す式

$$t' = \frac{t}{\sqrt{1 - \left(\frac{v}{c}\right)^2}}$$

この式の意味について説明します。ちょっぴり難しいのですが、なんとなくわかれば大丈夫ですので、お付き合い願いますね。

t'はある人がvの速度で進んでいるときの時間。tは今、人が存在している空間の時間。vはある人が進んでいる速度(スピード)。cは光の速度。

光は1秒間に地球を7周半すると言われていて、この世でもっとも速いのです。数字で言うと、c＝約30万キロ／秒です。

さて、もし、ある人が仮に光の速度で進むことができたとします。つまり、vがcになるわけですね。そうすると、先

特殊相対性理論

ノーベル賞物理学者のアインシュタインが考えた理論。「光」の速度は常に一定で、「空間」と「時間」は相対的に変化するものであるとする。彼はこの理論を「可愛い女の子と1時間いっしょにいたら、1分しか経っていないように思える。熱いストーブの上に1分間座らせられたら、まるで1時間くらいに感じる。相対性とはそれである」と説明。

ほどの式の分母はゼロになり、t'は、∞（無限大）に近づきます。

これは**光の速度で進めば、ある人の時間が「無限に延びる」**ことを意味しています。

∞（無限大）に延びると言うとイメージしにくいので、仮に人が光の速度の0・99倍で進むことができるとします。すると、おおよそ時間が7倍ゆっくり進む計算になります。

映画やマンガと少し離れてしまいますが、タイムマシンは次のような活用方法が想定されるでしょう。

ある人が光の速度の0・99倍で進むことができる宇宙船に乗り、地球を飛び出したとします。そのスピードのまま1年後に地球に戻ると、もちろん**その人は1年経過しているのですが、地球ではすでに7年経過していることになるのです。**つまり、未来へ行けたので、宇宙船はタイムマシンである。そんなイメージです。ただ、これを実現するには、人が安全に乗れて光の速度に近いスピードが出せる乗り物を開発しなければなりませんが……。

この「時間が延びる」という現象は、実験でも証明されています。

物理学に**「素粒子物理学」**という分野があり、粒子を加速させたり、粒子と粒子をお互いに衝突させたりして、さまざまな物理現象を確認します。

この素粒子物理学において、電気の力や磁力を使って粒子の速度を上げる「加速器」で「光のスピード近くまで加速した粒子」と「加速していない粒子」の寿命を比べたところ、加速している粒子のほうが崩壊にかかる時間が長くなっています。

これは、**粒子の「寿命」という時間が延びた**という意味です。

粒子は、別の粒子へとさらに細かく分かれたり、変化していきます。これを「崩壊」と言い、崩壊するまでの時間を「寿命」と物理学の世界では呼んでいます。

ちなみに粒子とは、物質を構成している微細なつぶのことで、素粒子・原子・分子などを指します。

AIによるタイムトラベルは可能!?

タイムマシンを光の速度で移動させたら、未来へと行ける、そんな話をしました。では、タイムマシンを使わずとも、マンガ『**東京卍リベンジャーズ**』のように人がそのままパッと過去や未来へ行ける方法はないでしょうか。

もしかしたら、それに近いことは可能かもしれません。未来を正確に予想するテクノロジーを使い、その正確に予想された世界に擬似的(ぎじてき)に行くのです。

それを実現するひとつの方法は、「**万能型量子(ばんのうがたりょうし)コンピュータ**」です。これもちょっぴり難しいのですが、なんとなくわかれば大丈夫です。

万能型量子コンピュータは「量子力学」をベースに開発された、従来のコンピュータとは原理がまったく異なるもので、「スーパーコンピュータ」にとって代わると

東京卍リベンジャーズ
(2017〜22年　和久井健作)

主人公のフリーター・花垣武道がある日タイムリープ(タイムワープ)能力に目覚め、タイムリープを繰り返してかつての恋人・日向が殺される運命を変えていく物語。最初は、花垣が日向の弟・直人との握手をすることでタイムリープしてしまう。

期待されています。

私たちが使っているパソコンなど従来のコンピュータは、0と1を使って計算を行いますが、量子コンピュータは0と1以外にも0と1を重ね合わせた状態（量子状態と言います）を使って計算するので、とても高速なのです。

この**万能型量子コンピュータを使うことで、超高速かつ高い精度でシミュレーションができ、未来を正確に予想できる**と期待できます。

万能型量子コンピュータの本格的な実用化はまだ先ですが、2050年までに実現しようと日本政府も民間企業と一丸となって開発を進めています。

タイムトラベルが実現する日

ほかには**AI（人工知能）も活用できる**かもしれません。
AIのスゴいところは、過去の事象を数多く統計学的に処理できること。過去でこういうときはこうなったから、未来でも同じようになるなどと、複雑な物理方程

式を使わずにとても正確に予想できます。

こうした**万能型量子コンピュータやAIで、かなり正確に予想された未来を映像化し、仮想空間に表示させる。**その仮想世界に、私たちが**VRゴーグル**をつけて没入体験する。これはある意味、タイムトラベルではないでしょうか?

ただし、これらは、〝未来を見に行く〟というもので、未来で誰かを助けるとか、悪い奴をやっつけるなどの〝行動を起こせる〟ものではありません。

そして、正直なところ、100年後、

VRゴーグル
まるでその場にいるかのような仮想現実（VR：バーチャルリアリティ）体験ができるレンズがついたグラス。パソコンやスマートフォンと連動させるなどタイプはさまざま。

いや50年後の未来を見ることは難しいかもしれません。

なぜなら、50年後や１００年後の遠い未来だと、未来を予測するために必要なベースとなる過去のデータと現在のデータが大きく異なる可能性があるためです。

万能型量子コンピュータでもＡＩでも、最高で10年後、20年後くらいの未来を予想するのが限界かもしれません。あくまで感覚での話ですが……。

このように、「未来」には行ける可能性はありますが、「過去」へのタイムトラベルは、現在のテクノロジーを駆使したとしても、そのテクノロジーをどのように使えばよいのか科学的な根拠は今のところありません。

しかし、今後のことはわかりませんので、**ほんとうの意味でのタイムマシン、タイムトラベルが実現されるとしたら、１０００年後くらい**でしょうか？

予想もつきませんが、人類が恐ろしいほどのスピードでテクノロジーを開発していることを考えると、これより前になったりすることも十分ありえるかもしれませんね。

Q　ウソホント　3

『ジュラシック・パーク』
のように
死んだ恐竜を
生き返らせる
ことはできますか？

半分ホント

恐竜のDNAがとれれば、復元できる！ いつか「類似生物」の動物園ができるかも？

映画**『ジュラシック・パーク』**では古代の恐竜を復活させてテーマパークが作られていましたね。恐竜が脱走するのは困りますが、そんなパークができたら大人気間違いなし！

果たして恐竜の復元なんて可能なのでしょうか？

「そんなのムリでしょう」と思われるかもしれませんが、意外や意外、そうとも言い切れないのです。

それにつながるような、驚きの**マンモス復元計画**がありますので、先にそちらを紹介しますね。

マンモスは3万7千年前に絶滅したとされていますが、これまでに「永久凍土(えいきゅうとうど)（2

ジュラシック・パーク（ジュラシック・ワールド シリーズ）
（1993年　スティーブン・スピルバーグ監督ほか）

原作はマイケル・クライトンのSF小説。琥珀に閉じ込められた古代の蚊が吸った恐竜の血のDNAから恐竜を復活させ作られたテーマパーク「ジュラシック・パーク」が舞台。制御できなくなった恐竜の襲来から逃走するスリルを描く。

年以上凍結した状態が持続した土壌(どじょう)）」で骨、肉、毛が冷凍保存されたような状態で数多く見つかっています。

2008年1月、東京丸の内の丸ビルで生後半年のオスのマンモスを展示する「リューバ」展が開催されました。

私も足を運んだのですが、このリューバは奇跡のマンモスと言われ、ほぼ姿、形が残っていて衝撃(しょうげき)のあまり今でも鮮明に覚えています。

世界では、絶滅したマンモスを復元しようというプロジェクトがはじまっています。ただ、ここでの復元とは、息絶えているマンモスを生き返らせるものではありません。

✴ 驚きのマンモス復元計画

では、どのようにしてマンモスを復元するのでしょうか？

現在2つの方法が検討されています。

ひとつは**「顕微授精技術（けんびじゅせいぎじゅつ）」**を使った方法です。

顕微授精とは顕微鏡を見ながら体外で、細い針を使って卵子に精子を注入して授精させることです。

まず永久凍土で発見されたオスのマンモスから精子を取り出し、メスのゾウの卵子に顕微授精させ、再び受精卵をメスのゾウの子宮へ戻して、マンモスとゾウのハーフの子を出産させます。

もし生まれた子がメスだった場合はそのメスに同様に顕微授精をくり返すと、次に生まれるのはマンモス度が75パーセントの雑種になります。これをくり返し、最終的にはマンモスに近い動物を誕生させようというものです。

しかし、ゾウの初産年齢が数年〜20年程度であること、妊娠期間が2年と長いことなどから、実験にはかなりの年月がかかるという課題があり、研究者の間では、「実用的ではない」という意見もあります。

もうひとつは**「クローン技術」**を利用した方法です。

DNA

DNA（デオキシリボ核酸）は生物の細胞の「核」にあり、遺伝子情報をもつ「体の設計図」。DNAの情報に基づいて体の細胞や、器官、臓器などが作られる。たとえば、人の体は数十兆個の細胞からできていて、そのすべての細胞にDNAが含まれている。

これは前提として、永久凍土で発見されるマンモスに状態のよい**DNA**が残っていることが条件です。

まずマンモスの細胞からＤＮＡを含む核を取り出します。そして、メスのゾウの卵子の核をあらかじめ取り除いておいて、そこに、このマンモスのＤＮＡを移植し、その卵子をメスのゾウの子宮に戻して出産させるという方法です。

この方法は、クローン胚を作るため、もしこのメスのゾウが出産すれば、１００パーセント、完全なマンモスが再現できるそうです。しかし、水を含む細胞は永久凍土で凍りつくときにＤＮＡが壊れてしまうため、状態のよいＤＮＡを見つけるのが不可能に近いのが課題です。

マンモスを復元するのに必要とする時間を考えると、現時点では後者のクローンの方法のほうが現実的ですが、それぞれメリット・デメリットがありますね。以上の２つの方法については、研究者の間でもいろいろな意見があります。

どちらの方法でもゾウの卵子を使っているため、

「復元されたマンモスはマンモスではなく毛が生えたゾウだ」

「倫理的に問題だ」

「復元したマンモスのせいで生態系が壊れるのではないか」

「復元ミスで別の危険な生物が誕生してしまうのではないか」

などと議論されています。

一方で、絶滅種（ぜつめつしゅ）を復活させる科学技術の発展や、地球の変遷（へんせん）の理解に役立つなどのメリットがあるという意見もあります。

あなたはどう思いますか？

未来は「ジュラシック・パーク」ができるかも？

マンモスは永久凍土の中で、ある程度姿形が残った状態で見つかっていますから、先ほどのような復元プロジェクトも可能です。

では、恐竜はどうでしょうか？

恐竜は姿形が残った状態では残念ながら今のところ見つかっていません。発見されているのはすべて化石のみです。

では、『ジュラシック・パーク』のように、**琥珀**（こはく）に閉じ込められた蚊（か）の化石からDNAを抽出して恐竜を復元することは、ほんとうに可能なのでしょうか。

残念ですが、現代の科学をもってしても不可能です。

化石に残っているDNAは、年月とともに細胞の酵素（こうそ）が失われ、情報が崩壊しはじめます。そして、DNA配列（はいれつ）が判読不可能となり、最終的にすべて失われてしま

琥珀

数千万年〜数億年前に地上の樹木の樹液が固まったものが、土砂などに埋もれ化石化したもの。宝石として重宝され、ネックレスやピアスなど宝飾品に使われてきた。透明がかった黄褐色や茶褐色など、いろんな美しい色がある。

うからです。

恐竜が死に絶えて絶滅したのは、６６００万年以上前と言われていて、これほど年月が経つとＤＮＡさえも崩壊してしまうのです。


では、恐竜の復元はあきらめなければならないのでしょうか？

確かに現代の科学技術では、あきらめなければなりません。

しかし、いつか**恐竜に近い動物を創ることはできる**と言います。

ヒントは鳥のＤＮＡ。こう語るのは、米国モンタナ州立大学のジョン・Ｒ・ホーナー博士です。

彼は、『ジュラシック・パーク』のテクニカルアドバイザーを務めています。それだけでなく物語の主人公アラン・グラント博士のモデルでもあるのです。

博士によると、鳥のＤＮＡには**恐竜のＤＮＡ**が含まれていて、それを遺伝子操作などすれば可能だそうです。

未来には恐竜に近い「擬似生物（ぎじせいぶつ）」の動物園ができるかもしれませんね。

恐竜のDNA
最新の研究では鳥の先祖は恐竜であるとわかってきた。そこで、鳥のDNAには、先祖である恐竜のDNAが含まれている可能性が高い。

✷ 死んだ人を生き返らせることはできる⁉

ここまで、絶滅した動物をよみがえらせることができるのかというお話をしてきました。

では、死んだ人を生き返らせることはできるのでしょうか。

ある米国の企業はこんなことを考えています。

それは、**AIを使って人間を生き返らせること。**

厳密に言うと、死んだ人間を生き返らせるわけではありません。

生前に数年かけて対象者の会話のスタイル、行動パターン、思考プロセス、身体機能の情報など、膨大なデータを収集します。

そして、その人が亡くなったら脳を冷凍保存し、将来的に技術が十分に発達したタイミングで、その脳を人工の人体に移植するというテクノロジーだそうです。

最新動向は発表されてなく、さすがに多くの有識者が実現は難しいのではと述べ

ていますが、この企業は30年以内にはこのテクノロジーが可能になると信じて開発
しているようです。

人が生き返るような未来が来たら、人の考え方は大きく変わるでしょう。新しい
宗教観も生まれるかもしれませんね。

Q ウソホント　4

『未知との遭遇』のように
UFOと交信
できるのでしょうか？

半分ホント

米軍はＵＦＯの存在を本気で調査しているので、可能性はなきにしもあらず！

あなたはＵＦＯらしき物を見たことはありますか？

ＵＦＯと聞くと「私はＳＦ映画に登場するＵＦＯを思い浮かべる」と言う方もいらっしゃるでしょう。

たとえば、映画**『未知との遭遇（そうぐう）』**や**『ニューヨーク東8番街の奇跡』**。『未知との遭遇』は、円盤型の物体から目も開けていられないぐらいまぶしい光線が放たれているシーンが印象的でした。この映画の影響か、私たちは、ＵＦＯ＝円盤型をイメージすることが多いですね。

でも円盤型かどうかはもちろんわからないのです。

未知との遭遇
（1977年　スティーブン・スピルバーグ監督）

原因不明の大規模停電など世界各地で異変が起こる中、謎の飛行物体に遭遇した米国インディアナ州の電気技師・ロイが、宇宙人とコンタクトをとろうとしていく物語。ロイが遭遇した飛行物体は閃光を放つ巨大な円盤型だった。

２０２１年6月25日、**「米国国防総省が公式にＵＦＯ調査報告書を公開した」**という大きなニュースが世界を駆け巡りました。

私は「国家の機密情報ですよね⁉」とほんとうに驚きましたが、厳密には、ＵＦＯの正体を特定するにはデータが不足しているとされてました。

しかし、奇妙な飛び方をする物体の存在は否定していないニュアンスだったため、米国国防総省がＵＦＯの存在を公式に認めたと報じるメディアもたくさんあったのです。

公開されたＵＦＯ調査報告書は9ページにわたるものでした。

そこには、２００４年から２０２１年3月までに米軍のパイロットなどが目撃した１４４件のＵＦＯについて報告されています。１４４件とは多いですね。ＵＦＯが目撃された場所が、米軍の訓練場や実験場近くに集中しているのも特徴です。ＵＦＯ目撃されたＵＦＯは高速で飛行したり、突然方向転換したり、とても不思議な動きをしたそうです。

しかし残念ですが、ＵＦＯの正体はまだ解明できていません。

ニューヨーク東8番街の奇跡
（1987年　マシュー・ロビンス監督）

再開発が進む米国ニューヨークの東8番街で、地上げ屋に立ち退きを求められているアパートの住民と、突然やってきた円盤型の宇宙人との交流を描く。

中国やロシアの新しい技術や自然現象、鳥やドローンなどではないかと疑う声もありますが、そんな説ではまったく説明できない現象が映像として残されています。

✷ 現代科学では解明できないUFOの驚くべきテクノロジー

このUFO調査報告書の内容を具体的にご紹介します。

米国海軍のイージス巡洋艦（じゅんようかん）「プリンストン」の元乗組員のゲイリー・ボーヒース氏も目撃者の一人で、NHKに取材されました。

2004年、彼はプリンストンの戦闘指揮所（せんとうしきしょ）でレーダーを監視していたときにUFOを目撃しました。そのUFOの大きさは15メートルほど。驚くべきことに卵型で、翼やプロペラがなく飛行機とはまったく異なる形をしていたそうです。

彼は、さらに首をかしげるような光景を目の当たりにします。飛行物体にしては速度がやたら遅かったというのです。そのときの速度は時速185キロだったと言

いますが、彼はこの光景を「浮かんでいた」と表現しています。

そしてその後、ＵＦＯは、横へと移動して猛スピードで突然消えてしまったそうです。

また、彼は別の奇妙な光景も目撃しています。彼がレーダーでＵＦＯを追跡しているとき、**ＵＦＯはおおよそ高度２万４０００メートルから一気に海面まで真っ逆さまに移動**したのです。速度にして秒速約５０００メートル。

これだけの速度が出ているのであれば「ソニックブーム（とどろくような大音量）」も起きるはずですが、観測されていないそうです。

ちなみに、現時点で人類が開発したもっとも速い空を飛ぶ乗り物は、「**マッハ6・7**（秒速約2278メートル）」でロケットエンジンを搭載した「X－15」という飛行物体。1967年の記録では、これに人も乗っていました。

無人機であれば「X－43Aハイパー X」という飛行物体が、「マッハ9・68（秒速約3291メートル）」という速度を出していました。2022年、ウクライナ対ロシア戦で使われた極超音速ミサイルが「マッハ10（秒速約3400メートル超）」まで出せると聞きます。

つまり、現在の**我々人類の最先端技術をもってしてもこのUFOのスピード（秒速約5000メートル）は説明がつきません。**

ゲイリー氏は、この目撃した事実をしばらくは誰にも言えず、心の内に秘めてきたそうです。なぜならば、UFOを見た、UFOが科学的にありえない特異な行動をした、などとオカルト的なことをみんなに言ったら、頭がおかしいのではないか、

マッハ

ロケットの速さなどを示す単位。1マッハは音と速さと同じで、約340メートル/秒。このかっこいい言い方は物理学者エルンスト・マッハの名に由来する。

やばい奴かもと思われてしまうからだそうです。

しかし、彼は、この目撃した事実をみんなに知ってもらうことで、同じ体験をした同僚などの仲間が公表しやすい環境になればと思い直し、告白したと言います。

今のところ、さまざまな取り組みはありますが、ＵＦＯの科学的な証拠は見つかっていないのです。

なんとも不思議な現実です。

果たしてＵＦＯは存在するのでしょうか。

もし、存在するなら誰が作ったのでしょうか？

それならＵＦＯに搭乗し操縦しているのは誰でしょうか。

それともＵＦＯは無人機で誰かに遠隔操作されているのでしょうか、はたまた自律飛行しているのでしょうか、想像はふくらみます。

Column

今は当たり前のテクノロジー、昔はSFだった！①

ドローン

映画『**バック・トゥ・ザ・フューチャーPART2**』（1989年）で少しだけ登場したドローン。当時は未来のテクノロジーと思われていました。現在、映画中のようにドローンで犬の散歩はめったに見かけませんが、ウクライナとロシアの戦時下で攻撃や偵察で利用されたり、旅行系のテレビ番組の空撮などにも使われています。

Q ウソホント 5

『E.T.』のような宇宙人は存在するの？

半分ホント

宇宙のどこかにはいます！

米国政府は、前述のＵＦＯ報告書によって「ＵＦＯ」の存在は間接的には認めているとも言えますが、「宇宙人」の存在については認めていません。というよりは、「明確には否定していない」という表現が正しいでしょう。

ＵＦＯの定義はあくまで「未確認飛行物体」です。〝わからない〟から〝未確認〟なのです。

私たちは宇宙人がＵＦＯに乗っていたり、操縦したりするシーンを想像しますが、そのような目撃情報はありません。ＵＦＯの目撃談はもしかしたらＵＦＯではなく、人間が作った〝無人〟飛行物体を見ただけかもしれません。

ＵＦＯの目撃情報がたくさんあることはイコール、宇宙人の存在を肯定すること

E.T.
（1982年　スティーブン・スピルバーグ監督）

地球の植物サンプルを採集しにやってきて仲間とはぐれてしまった宇宙人が、10歳の少年エリオットと出会い交流を深めていく物語。宇宙人のE.T.は念力などでものを動かすことができ、最後は地球の言葉も理解するようになった。

にはならないというわけです。

では、映画『**E．T．**』に出てくるような宇宙人は、ほんとうにいるのでしょうか？本題に入る前に、「宇宙人」とは何かについて確認しておきましょう。

私たちは「宇宙人」をイメージするときに、映画『**スーパーマン**』のような地球人とまったく同じ姿や『E．T．』のように直立2足歩行する生命体、また「火星人」であれば頭が大きく長い手足が何本かある、タコのような生命体をイメージしますね。

もちろん映画『**エイリアン**』のように、想像をはるかに超えた姿形をしていることだって大いにありうるでしょうが、私たちがイメージする「宇宙人」は、知性があり仲間同士でコミュニケーションができる知能が高い生命体です。

つまり、宇宙人は別の言い方をすると地球外**「知的生命体（ちてきせいめいたい）」**ということです。

現在の科学では、宇宙人が存在するかは肯定もできないし否定もできません。それだけの科学的な根拠がないからです。

スーパーマン シリーズ
（1978年、2021年ほか）

飛行能力や怪力など超常能力を持つスーパーマンの活躍を描いた物語でアメリカンコミックスが原作。主人公のスーパーマン（＝クラーク・ケント）は滅亡したクリプトン星の最後の生き残りで、両親によって小型ロケットで地球に発射された。

✷『スター・ウォーズ』の世界もありえる?「ドレイクの方程式」

けれども、**「宇宙人はほんとうにいるのか?」という研究を本気でやっている研究者は世界中にたくさんいます。**

たとえば、米国の天文学者・天体物理学者フランク・ドレイクです。彼は、地球もしくはそれ以上の文明をもった宇宙人が現在どれくらいいるのかを表すひとつの式を考えました。これは**「ドレイクの方程式」**と呼ばれます。ちなみに、ドレイク氏は2022年9月に亡くなっていますが、その方程式は今も否定されていません。

ドレイクの方程式は、「**銀河系**(ぎんがけい)にある(地球以外の)文明の数」を求めるものです。この方程式の中には私たちが知り得ない情報を無理矢理入れなければなりませんので、正確に値を決定できないものもあります。

「銀河系に地球以外の高度な文明が存在する数」は研究者によっても意見が異

エイリアン シリーズ
(1979年、1986年ほか
リドリー・スコット、ジェームズ・キャメロン監督ほか)

西暦2122年、大型宇宙船が宇宙から地球へ帰還する途中、知的生命体からの信号をキャッチ、発信源の惑星にたどり着くが、そこで謎の生命体に襲われる。謎の生命体(=エイリアン)は昆虫のような見た目で、人間とは似ても似つかなかった。

「ドレイクの方程式」

（銀河系で1年間に誕生する星の数）×
（惑星系をもつ恒星（こうせい）の割合）×
（そのうち生命の生存できる惑星の数）×
（その中で生命が誕生する惑星の割合）×
（生命が文明をもつ宇宙人へと進化する割合）×
（文明の寿命）
＝「銀河系にある（地球以外の）文明の数」

なりますが、悲観的に考えると０・０００01、楽観的に考えると10億にもなるそうです。悲観と楽観で大きな差がありますね。

この数字の中間をとると、**宇宙にはおよそ100個の文明があるのかもしれません。**ただし、その間の物理的距離は、数千光年離れていると考えられます。

宇宙に文明があるとすれば、映画**『スター・ウォーズ』**は地球からはるか遠い銀河系での冒険の話ですから、このような人たちが宇宙に実際に存在してもおかしくはありません。

銀河系　太陽系

「銀河系」は太陽系などが存在する銀河の固有名称。別名で“天の川（あまのがわ）銀河”とも呼ばれている。
「太陽系」は水星・金星・地球・火星・木星・土星・天王星・海王星の８個の惑星と、冥王星などの準惑星などの集まり。

ただ、『スター・ウォーズ』の登場人物を「宇宙人」と言われても違和感がありますよね。物語上では惑星の「人間」として描かれていますし。でも、ルーク・スカイウォーカーやハン・ソロは科学的には地球外の知的生命体なので、その意味では「宇宙人」とも言えるのです。

いずれにせよ地球から数千光年も離れているのであれば、宇宙人の存在を確かめることは困難な気がするのは私だけでしょうか。

地球人の存在はすでに宇宙人にバレている？

一方で、2021年6月に米国のコーネル大学などの研究チームが、**「地球の存在に気づき、人類が出した電波を受信できる惑星が、太陽系の近くに29個ある」「我々の存在はすでに、人間のような知的生命体にバレているかもしれない」**――そんな論文を英科学誌『ネイチャー』に投稿しました。

太陽系以外の惑星を「系外惑星」と言いますが、系外惑星は4800個以上ある

スター・ウォーズ　シリーズ
（1977年　ジョージ・ルーカス監督　ほか）

77年公開の「エピソード4」が皮切りのスペース・オペラシリーズ。地球からはるかかなたの銀河系での物語で、エピソード4〜6は主人公・ルークを中心とした銀河帝国軍と反乱同盟軍の長きにわたる戦いを描く。

ことが現在までにわかっています。私たち人類が「電波」というテクノロジーを使うようになってから100年程度のため、光の速度で考えても地球の電波がどこかの惑星に届くのは100光年以内。

そこから、研究チームは電波が届く100光年の範囲にある惑星のうち、生命が存在するために必要な水がある惑星がいくつあるのか調査しました。そして、**29個の系外惑星に水がある**という結果を導き出したのです。

この研究から言えることは、すでに地球からの電波は29個の惑星に届いていること、そしてこの**29個の惑星にいるかも**

光年

「年」とついているが時間ではなく長さの単位。主として天文学で用いられる単位であり、1光年は約9.5兆キロメートルである。こんなに離れていては宇宙人と会えるのは難しい。なお、ロマンチックな印象を受けるからか、歌詞などで時間を表す表現として使われることもある。

しれない生命体は、「地球に生命が存在する」とわかっているかもしれないことです。とても興味深いですね。

先ほど紹介したフランク・ドレイクは、１９５１年、米国グリーンバンク天文台の電波望遠鏡を、太陽に近い２つの星「くじら座タウ星」と「エリダヌス座イプシロン星」に向けて、文明があることを示す電波を受信できるかを観測しました。数年間この観測はつづけられたものの、残念ながら宇宙人からと思われる電波は受信できませんでした。

が、この活動は「オズマ計画」と名付けられ、その後の「ＳＥＴＩ」の活動へと引き継がれていったのです。

「SETI（Search for Extra-Terrestrial Intelligence、地球外知的生命体探査）」とは、地球外知的生命体による文明を発見するプロジェクトの総称で、世界中で進行しています。

このＳＥＴＩは、**「もし高度な文明をもつ宇宙人がいれば、彼らは地球人と同じ**

ような電波を通信手段に使っているに違いない」という仮説を元に行われています。

また、地球から宇宙人にメッセージを送ることも実施しています。

1974年にはプエルトリコのアレシボ電波望遠鏡から、球状星団M13に、原子番号や人間の大きさ、太陽系などについて知らせる、「0と1のパルスでできたモールス信号のような通信（アレシボ・メッセージ）」を送りました。しかし、2023年2月までに返信はないようです。

残念なことに、アレシボ電波望遠鏡はケーブルの切断や破損などにより崩壊してしまいました。その後、再建の話が持ち上がっていましたが、断念。2022年、米国科学財団がこの跡地に教育センターを開設する計画だと報じられました。

また、日本の研究者の森本雅樹氏や平林久氏らも1983年に米国スタンフォードの電波望遠鏡を使って七夕の牽牛星（わし座のアルタイル）に電波を送りました。送信したメッセージは、2000年ごろにはアルタイルに到着しているはずです。もしアルタイルに宇宙人がいて返信してくれれば、最短で２０１７年には地球にメッセージが到着するはずでした。

けれども、その後何も事象は起きていないそうです。

もし、気がついているならば何かメッセージがほしいですね。

✸ 太陽系の外には、宇宙人は100パーセント存在する!?

宇宙人からメッセージは来ないものの、研究者の中には**「太陽系の外に知的生命体は100パーセント存在する」**と言う人もいます（なぜ、太陽系の外なのかは74ページでご説明します）。

たとえば、私たちの銀河系には、**恒星**（こうせい）が３０００億個ほどあります。そして、全宇宙には銀河系のような銀河が数千億個はあると考えられています。

すると、全宇宙に存在する恒星は、３０００億×数千億個ということになります。

恒星　惑星

「恒星」は太陽のように、自ら光っている星のこと。
「惑星」は自分からは光を出さずに、太陽などの恒星の周囲を回っていて、その恒星から光を受けて反射して光っている。地球も惑星のひとつなので、自らは光ることはできない。

これだけの数の恒星が全宇宙に存在するのに、知的生命体がいるのは地球ただひとつだけというのは、自然の摂理的な発想から無理があると考えられています。

また、**「クマムシ」**という生物をご存知でしょうか。

体長が1ミリにも満たないので気づきませんが、道路や木のコケの中などにいます。クマムシは極度に乾燥した環境でも、高温、低温という温度環境でも、大量の放射線を浴びても、空気がない真空（しんくう）という状態でも、餌や水がなくても生きていくことができる不思議で驚くべき生物です。もちろん、宇宙空間でも生きていられるのです。

こんな**過酷な環境でも生きていける生物がいるのであれば、やはり全宇宙に知的生命体がいてもおかしくない**と考えてしまいますね。

Column

今は当たり前のテクノロジー、昔はSFだった！②

自動運転

海外ドラマ『**ナイトライダー**』（1982〜1983年）には、人と話せる愛嬌たっぷりの自動運転車、“ナイト2000”が登場します。現代は、ここまでインテリジェンスではありませんが、安全運転を支援する自動運転車が発売されていますね。さらに未来には、ナイト2000のように話せる“相棒”が実現するかもしれません。

Q ウソホント 6

いつかは、
『ロズウェル』みたいに
地球で宇宙人と
交流できますか？

半分ホント

地球には宇宙人はいないが、宇宙の生物をペットとしてかわいがれるかも。

ドラマ『**ロズウェル 星の恋人たち**』では地球にやってきた宇宙人と人間が恋愛模様までくり広げるようすが描かれていました。人間が相手を宇宙人と知りながら恋におちてしまう――ロマンチックなような、不思議なような感じがしますね。

しかし、先にも触れたとおり、宇宙人は太陽系にはいないと考えられています。つまり、地球で宇宙人と親交できる可能性はかぎりなく低いのです。

親交できないのはちょっと残念ですが、その代わり、映画『**インデペンデンス・デイ**』のように地球が宇宙人に襲われて大パニックを起こすようなことも考えられませんからご安心ください。

一方で、先にお話ししたように太陽系の外には宇宙人がいるかもしれません。

ロズウェル　星の恋人たち
（1999～2002年　米国）

1947年に米国ニューメキシコ州ロズウェルで、墜落したUFOを米軍が回収したという事件が起きた。ドラマはそのUFOに乗っていた宇宙人の生き残りであり、超常能力を持つ少年たちと普通の少女たちの恋愛模様などを描く。

仮に、太陽系の外に知的生命体が確実に存在するとしましょう。ただし太陽系の外ですから、その知的生命体は何光年も何十光年も何千光年も、いやもっと遠くにいるかもしれません。

現在の地球上で、もっとも速いのは「光」。

でも、まだ光に人は乗れませんし、光のスピードで移動することも現代の最新テクノロジーを駆使してもできません。そう考えると、今の私たちが知的生命体に会いに行くことは完全に不可能でしょう。今のところ地球上で宇宙人、つまり知的生命体に遭遇していない理由も辻褄（つじつま）が合います。

でもたとえ会えなくてもはるか遠くのどこかにはいると思うと、面白いですね。

もしも、はるか遠い未来に、**人間または宇宙人が光のスピード以上の乗り物を開発したら、人間と宇宙人が交流できる**のかもしれません。

さて、なぜ太陽系内には宇宙人（地球以外での知的生命体）はいないのでしょうか。

インデペンデンス・デイ
（1996年　ローランド・エメリッヒ監督）

独立記念日の2日前に世界中に巨大宇宙船が現れ、米国大統領が交信を試みるうちに目的が地球侵略だと判明し、主要都市が攻撃で廃墟（はいきょ）と化す。人類存亡をかけた宇宙人との戦いを描く。

大きく2つ理由があります。

ひとつは、太陽系に**「ハビタブルゾーン」**が地球付近にしか存在しないとされているからです。ハビタブルゾーンとは、「habitable（生きることが可能）」である「zone（地帯）」という意味です。

シンプルに説明しますと、太陽のように光っている星（恒星）からの距離が近いと暑くて水が蒸発してしまいますし、距離が遠いと寒くて水が凍ってしまいますので、生命体が生きられません。そのため、生命体が存在する星（惑星）は、太陽（恒星）と〝適切な距離〟にある必要があります。

そしてもうひとつ。**〝地球に似ている〟惑星がない**ためです。

地球のようなサイズは、〝適切な重力〟を作り出しています。「生命体が活動しやすい重力」「地表面に水を保てる重力」「大気が宇宙へ逃げていかない重力」です。

つまり、地球のようなサイズでないと、生命が生きることは難しいと言えます。

このような理由で**知的生命体が住める星は、私たちが住む太陽系には地球だけ**という結論になっています。

けれども、知的生命体以外の生命体なら、太陽系に存在する可能性が少しあります。

✸ 国際宇宙ステーションＩＳＳで見つかった生命体とは？

２０２１年３月にＮＡＳＡ（ナサ）（米国航空宇宙局）の研究チームが国際宇宙ステーションＩＳＳ（アイエスエス）で「未知の生命体」を見つけたという驚くべきニュースが報じられました。

なぜかこのニュースはあまり報道されていないことから、公にできない秘密があるのではないかと話題を面白おかしく誇張する憶測もネットで飛び交っています。

発見されたのは、なんと地球上では発見されていない新種のバクテリアでした。この未知の生命体は、食事をするテーブルや「キューポラ」という窓の近く、そして棚で見つかったそうです。

では、この未知の生命体はどこから来たのでしょうか。

実はこれは、地球上の土や淡水にいる「メチロバクテリウム属」のバクテリアの一種であることがわかりました。おそらく、宇宙服や宇宙飛行士の体、輸送された物資などに新種のバクテリアが付着した状態でＩＳＳへと運ばれたのではというのが、おおかたの見方です。

しかし、地球では発見されてないバクテリアには変わりありません。では、もともと存在するバクテリアがＩＳＳで進化したと考えるのはどうでしょうか。ＩＳＳを人類が運用しはじめてから20年余りの期間に、生物は進化することができるのでしょうか。生物の進化の時間軸として短すぎて進化したとは考えにくいのです。

どうやって地球上に存在しないバクテリアになったのか。とても不思議ですね。

✸ 火星なら生命体が生きられるかも？

アストロバイオロジー研究者の関根康人(せきねやすひと)博士によると、生命が生きていくために必要な条件は、**「水」「生命体の体を作る有機物」「生命活動に必要なエネルギーが**

存在する環境」の3つがあります。この環境が整っている惑星があれば、「生命体が存在する」、または「存在した」可能性があります。

その有望視されている太陽系の惑星のひとつに「火星」が挙げられます。火星は、「ハビタブルゾーン」に入る惑星だと言う研究者も一部いるくらいです。

火星は、生命が生きていくために必要な3つの条件が整った惑星であることがわかっています。

ひとつ目は**「水」**です。実は火星には、川の流れた跡や三角州の跡が見つかっています。

2つ目は**「有機物」**です。2012年に着陸した火星探査機「キュリオシティ」による調査では、おおよそ40億年前に湖だった場所から有機物を発見しています。

3つ目は**「生命活動に必要なエネルギーが存在する環境」**です。キュリオシティは、火星の湖だった場所に鉱物やガスが存在していたことも明らかにしています。この鉱物とガスを生物が食べることで、エネルギーを生み出せます。

2022年には、探査機「パーシビアランス」が火星で探査を行っています。

パーシビアランスは、火星の岩石をサンプルとして採取し、岩石に長い間水と接触していた痕跡（こんせき）を発見しています。また、多くの岩石に、紫色にコーティングされたかのような覆（おお）い包む被覆（ひふく）も見つかっています。

この被覆は、地球上でも似たものがあります。「シアノバクテリア」と呼ばれる微生物は、岩石の表面に紫色の被覆を作るのです。つまり、火星の岩石に微生物がいるかもしれないということです。

パーシビアランスは今後、火星の岩石などのサンプルを地球へと持ち帰る準備も進めています。おそらく**そう遠くはない将来、火星に生命体がいるかどうか決着がつく**のではないでしょうか。

宇宙の研究、探査が進むことによって新しい発見があり、〝宇宙〟というものが、ほんとうに多様性に富んでいることが明らかになってきています。

宇宙はそれほど単純ではないのです。

もし火星などに生命体がいるとしたらどんな姿形なのか、人間にとってのペットや観葉植物みたいに親しむことができたら面白いですね。

Q ウソホント 7

科学が発展したら『スパイダーマン』になれますか？

A

半分ホント

技術的には可能！

『**スパイダーマン**』と言えば、手からクモの糸を放ち、スイングするシーンがカッコいいですね。主人公はピーター。高校生のときに見学で訪れた研究所で、放射能を浴びたクモに刺されたことで、クモと同じような能力を得てしまうのです。

しかし、実は彼はあのスーツを着なくてもクモと同じ特殊能力を使うことはできます。ただし、クモの糸を出す特殊能力だけは得ることができませんでした。

そのため、自らが開発した人工素材の糸が出る機械（ウェブシューター）を手首につけ、糸を出せるようにしています（作品によってはウェブシューターがなくても糸を出せたり、ある企業が開発した人工素材の技術を盗んで使用したりしています）。

スパイダーマン シリーズ
（1977年、2002年ほか）

原作は「マーベル・コミック」出版のアメリカンコミック。両親を亡くし、伯父夫婦と住む高校生・ピーターが放射能を浴びたクモに刺されたことでクモのような超常能力を身につけ、その力を人々のために使って悪と戦う物語。映画はいろんなバージョンがあり、ピーターが大学生編だったり、ウェブシューターがない作品などもある。

このウェブシューターは、現代のテクノロジーでほんとうに作ることができるのでしょうか。

まずは**「クモの糸」**。

クモの糸はかなり丈夫な繊維で、1・6ギガパスカルという引張強度をもっています。イメージしづらいかもしれませんが、2ギガパスカルだと、糸の断面1平方ミリメートルで、重さ200キロの物をぶら下げても大丈夫だと考えてください。つまり、これと同じようなもしくはこれ以上の引張強度をもつ繊維があればいいことになります。あるメーカーが開発した合成繊維はなんと5・8ギガパスカルもの引張強度があります。しかも密度（重さ）も本物のクモの糸とこの合成繊維はほぼ同じなのです。この繊維を使うと実現できそうですね。

次は、**「ウェブシューター」**。ウェブシューターは原理的に糸の先に、ある程度のおもりを付けて、バネなどの力で放出すれば作ることは可能だと思います。多くのマニアが独自に作っている動画などがすでにアップされていまし、もちろんオモチャも発売されています。

しかし、クモの糸を出して、建物などにぶら下がる、あのスイングシーンを再現するにはこれだけでは不十分です。

〝何発も〟〝素早く〟〝ある程度の距離まで〟〝正確に〟クモの糸を発射する必要があります。これを実現するには、手首につけられるほどの小型化をしなくてはなりませんが、実際難しいと考えられます。

そして、あのスイングシーンを実現できるのは相当の身軽さと腕力をもった人物だけ。

普通の人はウェブシューターが完成したとしてもスイングシーンは不可能でしょう。

✸ スパイダーマンに今、一番近い存在は？

ほかにも、スパイダーマンは重力に逆らいながら垂直なビルの壁をスムーズに登ることができます。

普通の人間にこんなことが可能なのでしょうか。

まず、**「壁にくっつくテクノロジー」**。

たとえば150キロの重さに耐えられる大型吸盤があります。これを両手、両足に付けて壁を登っていくことはできるでしょう。しかし、これは壁がガラスなどのように吸盤がくっつく材料でなければなりません。

しかも吸盤をくっつけたりはがしたりをスパイダーマンみたいに素早くはできないので、垂直な壁をスルスルと登ることはできないでしょう。

ボルダリングの「スピードクライミング」という競技では、高さが10～15メートルの壁をどれだけ速くよじ登れるかを競います。

これは「ホールド（手や足をひっかける突起物）」があるためすごいスピードで登るのですが、オリンピック選手級になると引っかかりがほんのわずかでもよじ登れ、15メートルの壁をたったの約6～8秒で登ります。

ホールドを使うとはいえ、わずかな突起でもスムーズに登っていくことを考えると、彼らが一番スパイダーマンに近いのかもしれませんね。

ちなみに……さすがにクモのＤＮＡを人間の体に取り入れて超人になる、なんていうのは難しそうです。

Q ウソホント 8

『ドラゴンボール超（スーパー）』のザマスみたいに**不老不死**になれますか？

A

半分ホント

△

「不老不死」はまだですが、「不老有死（ふろうゆうし）」という世界はすでに来ています。

『ドラゴンボール超（スーパー）』で第10宇宙の界王神ゴワスを殺そうとしたザマスが不老不死となりました。**『インディ・ジョーンズ／最後の聖戦』**では、それで水を飲むと永遠の命を得られるキリストの聖杯をめぐって敵と対決するなど、映画やアニメにはよく不老不死の薬が出てきます。だれもが「老いたくない」と思うものなのでしょう（もちろん、筆者も……）。

ちなみに、「老」と「死」は、生物全般ととても密接な関係にあり、「老」を抑制できてしまえば、病気で死ぬリスクを下げられます。

もし「不老」の世界が実現されれば、未来は老と死が人間から切り離されていくのではないかと考えられます。

ドラゴンボール超
（2015年～　鳥山明原案）

『ドラゴンボール』の続編で、魔人ブウとの戦いのその後の世界を描く。界王神ザマスは師匠のゴワスを殺害し、不死身の体を手に入れた。

この「不老」の研究は世界各国で進められています。これは、老化により発症する特定の病気を抑制もしくは根治して、老化を遅らせるものです。

また、世界では「不老」に向けたさまざまな薬の開発も進んでいて、たとえば、英国のカーディフ大学は、「メトホルミン」で寿命を延ばすという研究をしています。

「メトホルミン」は１９４０年代から使われてきた2型糖尿病の治療薬ですが、マウスに投与したところ寿命が40％延びたそうです。メトホルミンの「寿命に関係している酵素(こうそ)を細胞内で増やす」という働きが効いたと思われます。

もし、人間にも同じ効果が得られれば、**メトホルミンの投与で20歳は老化を遅らせる**ことができるだろうと研究者は考えているようです。

つまり、寿命が１００歳の人は１２０歳に延びるということですね。

しかも、投薬コストは1錠あたり約10円。安くて寿命が延びるのであれば、ぜひ使ってみたいですね。ただもちろん「老化防止」の薬としては処方(しょほう)されていませんので今後の進展が待たれます。

インディ・ジョーンズ／最後の聖戦
（1989年　スティーブン・スピルバーグ監督）

考古学者で冒険家でもあるインディ・ジョーンズの冒険を描く映画シリーズ。本作でインディはキリストの血を受けたとされる聖杯を探すなか、大富豪ドノバンから行方不明になった父と、聖杯の捜索を依頼される。

また、米国のドレクセル大学では**皮膚(ひふ)の老化を遅らせる薬**を研究中です。「ラパマイシン」という薬で、40歳以上の人の手にこのクリームを塗ったところ、コラーゲンが増え、「p16」という皮膚を萎縮(いしゅく)させるタンパク質が減ったというのです。

そして、「不老」の薬の主流はなんと言っても、**「セノリティクス」**。これは老化細胞を破壊する薬で、バイオベンチャーなどがこぞって開発を進めています。

このように老化に伴う疾患を止める薬は研究が進み、いくつか臨床段階に入っています。「老い」を止めることはできる見込みなのです。

しかし、「死」に関しては遅らせることはできそうですが、完全に止める手立てはまだありません。私たちは「不老有死」――「死にいたるが老いない」世界を生きるかもしれない、そんな未来がすぐそこまで来ています。

✷ 不老不死の生き物は存在する？

風の谷のナウシカ
（1982〜1994年　宮崎駿作）

「火の7日間」と呼ばれる最終戦争により科学文明が崩壊。そこから約1000年後の未来の地球が舞台となり、主人公の少女ナウシカが人と自然の歩むべき道を求めていく。「ヒドラ」は不死身の人造人間として描かれている。映画版も名作として人気。

人間は「不老有死」の世界を生きることになるかもしれませんが、実は不老不死の生き物は存在します。

たとえば、「ヒドラ」と「ベニクラゲ」という生物です。なんだか特撮映画の怪獣として出てきそうな名前です(笑)。実際、マンガ版『**風の谷のナウシカ**』には「ヒドラ」と呼ばれる、不老不死の生き物が登場します。

ヒドラは淡水に生息する無脊椎動物(背骨や脊椎がない動物)に分類され、クラゲと同じく毒針のある触手でミジンコなどを捕食している生物です。池や田んぼの石などに棲んでいます。

ヒドラは全身の大部分が**幹細胞**で構成されているので、年月を重ねても老化の兆候を見せないのです。つまり、**理論上、寿命は無限大**です。

また、ベニクラゲはクラゲの一種で、卵から生まれて幼生として海底に定着して「ポリプ(イソギンチャクのように海底に定着した形態)」になり、やがて「メデューサ」と呼ばれる成体となって海を泳ぎます。そしてケガをしたり、エサ不足といった危機的な事態に陥るとポリプに戻るという「若返り」ができます。ベニクラゲの

幹細胞

ヒトなど生き物の体は細胞からできている。幹細胞は、「同じ能力をもつ細胞に分裂することができる能力」と、「自分の体を構成するさまざまな細胞を作り出す能力」があるとされる。まだ研究中で未知の分野でもある。

寿命も理論上、無限大です。

ほかにも、「ツノサンゴ」というサンゴの一種が、4000年以上生きていることが確認されています。ツノサンゴもポリプという体の骨格の一部が、コピーであるクローンをくり返し作りながら増殖していって、長い時間をかけて成長させていきます。

「なーんだ、人間とはほど遠い生き物ばっかり！」と思われた方も多いのではないでしょうか。けれども、**ほ乳類や魚類にも、不老不死とまではいきませんが、とてつもない寿命をもった生物がいます。**

たとえば、「ホッキョククジラ」は、200年以上は生きられるというデータがあるようです。ホッキョククジラには、損傷したDNAの修復に関係している「ERCC1」というタンパク質をコード化する遺伝子に変異があり、これによりガンで命を落とさずに済んでいる可能性があるそうです。

ほかにも「ニシオンデンザメ」は200歳以上、もしくは500歳以上生きられるというデータがあります。人間にはない体の機能で寿命をとんでもなく長くできる生物がこの世には存在するということですね。

逆に言えば、**人間の体にこのように損傷したDNAを修復してくれる機能があれば、不老不死に近づく、もしくは不老不死になれる**と考えることもできますね。

未来の死因は老すいだけになるかも？

厚生労働省によると2021年の日本人の死因ランキングは、第1位「悪性新生物（腫瘍）」、第2位「心疾患（高血圧性を除く）」、第3位「老すい」、第4位「脳血管疾患」、第5位「肺炎」となっています。このランキングからしても、みなさんがもっとも恐れている病気は、やっぱり悪性新生物、つまりガンではないでしょうか。

では、このガンは、どれくらい治る病気になっているのでしょうか。ガンがどのくらい治るのかを見る指標として「5年相対生存率」という言葉を使います。これは病気と診断されて5年間、何パーセントの人が生存しているかを示すものです。

国立がん研究センターの2019年のデータによるとガン全体の5年相対生存率は66・4パーセントと公表されています。つまり、10人がガンになったら6、7名は5年は生存していることになります。もちろん、ガンの種類によって5年相対生存率は異なりますが、昔よりは怖い病気ではなくなってきているのです。

しかも、検診で早期発見できた場合、ガン全体の5年相対生存率は70〜80パーセントまで上がることがわかっています。早期発見できればかなり治るという意味ですね。

また、心疾患や脳血管疾患は、遺伝的な因子もありますが、食生活の改善などで防げる病気ですし、発症したとしても薬や手術も進歩してきています。危険な病気であることに変わりはないですが、ある程度はコントロールできる病気です。

このように考えると**病気というものは、未来においてコントロールできるようになって、死因は老すいがほとんどになる**のではないでしょうか。

Q　ウソホント　9

『アイアンマン』のように特殊スーツで空を飛べるってホント？

A

ホント

○

スーツはすでに開発されていて、もっとスマートなものが未来には実現されるでしょう。

映画『**アイアンマン**』では、人がパワードスーツを着ることで、さまざまな戦闘能力が使えたり、空を飛べたりします。

人が空を飛ぶと言うと、身近なところでは１９８４年のロサンゼルスオリンピック開会式に登場した、背中に積んだジェットエンジンで空を飛んだロケットマンを思い出す人もいるでしょう。

この当時の技術よりももっと小型軽量化されたスタイリッシュなものが、今は開発されています。

２０２１年、その空飛ぶスーツ「ジェットスーツ」を開発したのは、「グラビティインダストリーズ」という英国の企業です。

アイアンマン シリーズ
（2008年　ジョン・ファブロー監督　ほか）

巨大軍需産業のCEOで発明家の主人公・トニーが、自ら発明したパワードスーツをまとって世界平和のため戦う物語。本作のパワードスーツは両足内蔵のエンジンで空を飛べるほか、力の増幅や両手の武器、強力な防弾などのさまざまな機能を備える。

これは、両腕と背中にあるジェットエンジンの推力を使って飛べるというもの。燃料は灯油で背中に背負ったボンベの中にあります。この**スーツを着ると時速136キロのスピードで3600メートルの高さまで上昇することができる**から驚きです。

しかしまだ難点があります。それは、ジェットスーツが約30キロもあることです。重いので、筋力やバランス力が弱い方、ハンディキャップがある方などは利用が難しく、誰でも飛行可能とはいかないのです。

また、このスーツは最低価格で38万ポンド(1ポンド160円とするとおおよそ6100万円)+税という、とても手が届かない金額です。

しかし、このスーツを購入しなくても、グラビティインダストリーズは空を飛べるサービスを提供しています。

「飛行体験」と「飛行訓練」の2つの体験型のサービスです。それぞれ、1人3500ドル(約42万円)、1人8500ドル(約100万円)+税とのこと。

スーツを買うよりはリーズナブルですが、やはりちょっと高いですね。

✸ 空を飛ぶだけじゃなくてパワーアップは？

やはり『アイアンマン』のように、空を飛べるだけではなく、「重いものを持ち上げられる」「相手をやっつけられる」などそんなすごいパワーがほしい！

誰もがそう期待するでしょう。

実は、パワーを増すことができるスーツ型装置や補助器具などは「パワースーツ」と呼ばれ、いくつか開発、発売されています。パワードスーツ、アシストスーツなんて呼ぶ場合もあります。『アイアンマン』でもスーツの名前は「パワードスーツ」、通称「アーマー」ですから似ていますね。

このパワースーツは、**「洋服のように着るタイプ」**と**「体の骨格部分に装着するタイプ」**の2種類あります。

スーツを着用すると、いつもより10～30パーセントくらい重い荷物を持ち上げられるようになるのです。たとえば、もともと20キロの荷物を持ち上げられる人は、

22～26キロの荷物を持ち上げられることになります。このスーツには電動装置や人工筋肉が付いているからです。

「え、たったそれだけ？」と思われた方もいるかもしれません。しかし、**10～30パーセントくらい重い荷物を運べるようになると、体への負担が大幅に軽減される**のです。

もちろん、まだ、何百キロの岩や、何トン、何十トン、何百トンもある車や飛行機を持ち上げることはできませんが、将来はこのようなことができる可能性だってあるかもしれません。

たとえば、空飛ぶスーツとパワースーツを装着した人たちが救急現場、物流現場、工事現場、建設現場、荷下ろしなどで活躍することだって考えられます。その中には女性だって数多くいるでしょう。

また空飛ぶスーツとパワースーツを組み合わせることで、飛行・戦闘・防御可能なスーツを作ることもできるでしょう。軍事作戦などで活用されることも考えられます。

ただし、現時点では、両腕にはジェットエンジン、背中には燃料タンクをつけなくてはなりませんし、スーツも少しかさばるものになるので、ちょっとだけ見た目がダサいかもしれませんが、これもそのうちスマートなものになるでしょう。

未来は男女の体格差、力の差がなくなり真の平等な労働環境が実現されているかもしれませんね。

Q ウソホント 10

『ドラゴンボール』の
スカウターのように
見るだけで、その人の
能力値を知る
機械はできますか？

A

ホント
○

スカウターに近いものは開発されつつあります。

『**ドラゴンボール**』では孫悟空（そんごくう）の兄ラディッツやベジータがスカウターというグラスをつけていました。それで相手を見るだけで、戦闘能力がわかります。

こうしたグラスは実現可能なのでしょうか。

能力ではありませんが、宮崎大学では、「スマートグラス」という、豚を見るだけで体重がわかってしまうシステムを開発しています。

養豚産業において、豚の体重を把握するのはとても重要なこと。しかし、豚をいちいち体重計に乗せて体重を測るのは手間で重労働です。そのため、この技術が開発されました。このシステムにはＡＩが使われ、ＡＩが豚の体型から体重を推測するものなのです。今は研究段階のため、今後の実用化が待たれますね。

ドラゴンボール
（1985〜95年　鳥山明作）

サイヤ人・孫悟空の友情や成長と、どんな希望でもひとつ叶えるドラゴンボールを巡って発生する戦いを描く物語。スカウターは地球征服を企むラディッツやベジータが装着していて、戦闘能力を知るだけでなく通信も可能。

このスマートグラスを人間に活用すれば、たとえば、体重が審査基準のひとつであるスポーツ競技やコンテストなどに取り入れられる可能性もあります。

サッカーをやっている人はイケメン揃(ぞろ)い？

では、見るだけでその人の能力を知ることはできるのでしょうか。

「平均顔」というものがあります。ある集団の全員の顔の特徴を平均化した顔で、コンピュータで解析すると得られます。

たとえば、Jリーガーの平均顔はめちゃめちゃイケメンです(笑)。つまりサッカーをやっている人はイケメンが多いということですね。

この「平均顔」は、顔の特徴からその人の職業がなんなのか、どんなスポーツをやっているのかなどがある程度の確率でわかることを意味しています。

現代のテクノロジーにおいて、顔からその人の属性を明らかにすることはまだ行われていませんが、ＡＩにディープラーニングさせれば、ある程度の確率で的中できる可能性はあるでしょう。

たとえば、婚活のときに、スマートグラス越しにさまざまな相手を見るだけで、どんな仕事をしているのかや、趣味、年収、本性などがわかってしまう未来だって来るかもしれません。

✷表情から感情だって把握できちゃう現代

コロナ禍でオンラインで仕事をするのが当たり前になったこの時代。対面で会えないから、仕事のリズムを崩してしまい、営業成績を落としてしまった……そんな方もいると聞きます。

しかし、そんな方に朗報かもしれません。

ZOOMなどのオンライン会議のシステムに、ディープラーニングさせたAIを追加すれば、相手の表情から何を考えているのか、どう思っているのかを把握できてしまうのです。

営業で企業を訪ねるとき、お互い気を使いながら、「それいいですね～」と、「これ導入したら便利かも？」なんて、本心でもない会話を真に受けて、再度営業に向かうなんてことを多くの営業マンはしてきました。

でもこのＡＩが開発、導入されればこんな無駄な時間は省くことができるのです。

採用面接に来た人の能力値をＡＩで測定してしまう未来も実現可能かもしれません。

どんなスキルがあってどれくらい能力があるのか、どのような性格なのかなどのタレントスキルを表情だけで判断できる世の中です。

けど、ＡＩに判断されちゃうなんてちょっと嫌かもしれませんね。

Column

今は当たり前のテクノロジー、昔はSFだった！③

ビデオ電話

映画『**2001年宇宙の旅**』（1968年）で登場する壁掛けのビデオ電話。ひと昔前、遠距離恋愛中の男女や単身赴任で働くお父さんたちは、こんなテクノロジーにあこがれたものです。今やスマートフォンやパソコンがあれば、世界のどこに居ても顔を見ながらリアルタイムで話せます。

Q ウソホント 11

『攻殻機動隊』の光学迷彩
みたいに
ステルススーツで
自分の身を隠す
ことはできますか？

A

ホント

○

すでに開発されていて、身を隠すことが可能です。

忍者の隠れ身の術やアニメ・マンガ『**攻殻機動隊**』に出てくる「光学迷彩」のように身を隠すことにあこがれる人も多いのではないでしょうか。

自分の身を相手に見えないようにする技術は現在でも存在します。

それは、シートを使った2種類の方法です。

ひとつは、**「リアルタイムで撮影した風景や事前に撮影した画像をシートに投影する方法」**です。たとえば、全身を覆うマントにこの風景を投影しつづけることで、周辺と溶け込むことであたかも透明になったような形にできる技術です。

もうひとつは、**「光の屈折をうまく利用した特殊なシートを使う方法」**です。このシートの材料は私たちの身近にあるガラスや透明な樹脂ですが、表面はかまぼこ

攻殻機動隊
（1989年　士郎正宗作）

サイボーグやアンドロイド、電脳化人間などが混在する科学技術が飛躍的に発達した近未来で、犯罪と戦う「攻殻機動隊」の活躍を描く作品。作中の「光学迷彩」は使用者の姿だけでなく、熱や音も完全にカモフラージュする。コミックを原作とするテレビアニメやアニメ映画など、多くの派生作品がある。

状の形が連なった構造になっていて、光をうまく屈折させ、ものを見えない状態にしてくれるものです。

どちらもシートの後ろに隠れると、まわりの風景や景色に溶け込むようになり、相手からは見えなくなります。

これらは「光学迷彩」というテクノロジーですが、どのようなシーンに活用されるのでしょうか。

やはり軍事関連です。相手から見られなければ攻撃されづらくなります。また戦車、ミサイル、爆弾など重要な装備品を隠すこともできます。もちろん、小さな拠点、たとえばテントなども見つかりにくくなるでしょう。

まるで、**『ハリー・ポッター』**の透明マントのようですね。

実は、シートの裏に隠れると体温までわからないようにできるものも作られています。つまり、赤外線で敵から探されても見つかりにくいのです。

こんなテクノロジーがあれば誰でも試してみたくなりますね。

ハリー・ポッター
(1997年〜　J・K・ローリング著)

幼い頃に両親を亡くした魔法使いの少年ハリー・ポッターが魔法学校に入学することからはじまる成長と友情、親のかたきの魔法使いとの対決を描く。透明マントはポッター家に代々伝わるもので、姿を完全に消してくれるが音や気配は消えない。映画シリーズも大人気。

Column

今は当たり前のテクノロジー、昔はSFだった！④

小型多言語翻訳機

マンガ『**ドラえもん**』で登場する「ほんやくコンニャク」。食べればどんな言葉も話せるような夢の道具です。しかし今は、Google翻訳や翻訳機「ポケトーク」など双方向で多言語を翻訳してくれるテクノロジーが実現しています。翻訳の精度も日進月歩で向上しています。こう考えると、未来は外国語を勉強する意味があまりなくなるかもしれませんね。

Q ウソホント　12

映画やアニメに
出てくる
あこがれの
透明人間に
いつかはなれる？

A 半分ホント

夢のメタマテリアル素材が完成すれば透明人間になれるかも！

映画**『透明人間』**や**『インビジブル』**などは、透明人間になることで悪事や復讐(ふくしゅう)をする描写がされていますね。前述の「光学迷彩」のように、シートにずっと映像を投影しつづけたり、シートを持ちつづけたりせずに、完全に透明人間になれるテクノロジーはあるのでしょうか。

透明人間になれるかもしれない夢の物質が、多くの研究者が開発中の**「メタマテリアル」**です。メタマテリアルは、自然界にはない、人類が開発した新しい現象を示す材料で、ガラスや透明な樹脂とは異なる屈折率をもつものです。

もう少し詳しく言うと、ある特殊な形の微小金属片(びしょうきんぞくへん)を配列して、金属片中の電子が自由に動けることを利用したものです。その形状と配列をうまく工夫すると、

透明人間
(2020年　リー・ワネル監督)

恋人から異常な束縛を受けていた主人公・セシリアは、同棲していた家からの脱出を試みる。その後、恋人・エイドリアンが死んだと聞かされたが、それ以降、「見えない何か」による恐怖が襲う。

このメタマテリアルの誘電率と透磁率（磁化のしやすさ）を「設計」することができます。つまり、屈折率は誘電率と透磁率で決まるのですが、もし「負」の屈折率が実現できた場合は、光が対象となるものを避けてあたかも透明になるように見えます。

この理論はちょっと小難しいかもしれませんが、要するに、**自然界には存在しない「負」の屈折率をもつ材料を作ることができれば、光が普通とは違う方向に屈折してくれるので、見ている人の目に届かない**のです。そのためこれで**頭からスッポリと全身をおおう透明マントを作**

インビジブル
（2000年　ポール・バーホーベン監督）

DNA操作による人体の透明化を研究する科学者・セバスチャンは、自らを実験台とした結果、透明化に成功する。しかし、中途半端な研究により戻れなくなってしまい、研究仲間を憎悪し、襲っていく。

れば透明人間になれるのです。

２０３０～２０４０年ごろに実現するだろうと思いますが、もしこんなテクノロジーができたらどんな世の中になるでしょうか。

たとえば私服警察官ならぬ「透明警察官」が秘密裏(ひみつり)に捜査、潜入ができるようになるでしょう。でも、違法捜査かもしれませんね(笑)。

ほかにも、特殊部隊がこの技術を使って、人質などで命の危険にさらされている人を安全に救出するなんてことも可能になるかもしれません。

また、誰にも邪魔されずに心身ともにリラックスしたい、創作活動に没頭したい、そんなときにも活用できるでしょう。

このようなことが許されるためには法の整備が必要となるでしょうが、あなたはもし透明人間になれるとしたら、どんなことがしたいですか？

Q ウソホント 13

『ブラックホール』みたいにブラックホールを見ることはできますか？

A

ホント ○

肉眼では無理ですが、見ることはできます！

質問にお答えする前に、そもそもブラックホールとは何でしょう。

ブラックホールは、「ホール」と呼ばれていますが、「穴」ではありません。ブラックホールという「天体」なのです。

ブラックホールにも何種類かありますが、ほとんどは、太陽より数十倍も質量が大きい恒星が一生を終える際に**超新星爆発**を起こしてできるものです。大きな質量が中心部におし込まれ、支えきれなくなってつぶれて、質量が一点に集中した〝特異点〟ができます。それがブラックホールです。

ちなみに**ブラックホールの中に入ることはできますが、一度入ると二度と出られません。**誰も入ったことはないのですが……おそらく（笑）。

ブラックホール
（1979年　ゲイリー・ネルソン監督）

航行中のNASAの小型宇宙船が、ブラックホールに遭遇。そこで発見された20年前に行方不明になっていた大型宇宙船の乗組員とともに、ブラックホールから脱出を試みるが――。作中のブラックホールはマグマのような炎が燃えさかる空間だった。

なぜならば、ブラックホールはとても強い重力をもち、吸い込まれたものは中心部の一点に吸い寄せられてつぶれてしまうと考えられていて、中に入るとバラバラになる、粉々になるとも言われているからです。

ブラックホールから脱出するには、光をも飲み込んでしまうブラックホールの強力な重力をふり切る必要があります。そのためには、光の速度を超えて逃げることが必要です。この世界には光よりも速いものはないはずですから、ブラックホールからの脱出は不可能です。

たとえば１９７９年の映画『**ブラックホール**』でブラックホールから脱出するシーンがありますが、あれはすごいことなんです！

世界中の望遠鏡を結合させたプロジェクト

ブラックホールが存在することはすでに何度も確認されていて、地球からもっとも近いブラックホールは、へびつかい座の方向の約１５６０光年（こうねん）の距離にあること

超新星爆発

重い星が一生の最期に起こす宇宙最大の爆発現象。爆発の際、ひときわ明るく輝くため、地球からはまるで新しい星に見える。そこで「超新星」とも言われる。

が確認されています。「ガイアＢＨ１」という名のブラックホールで、２０２２年に発見されました。

先ほどの映画『ブラックホール』や**『インターステラー』**ではブラックホールが印象的な姿で登場しますが、実際に見ることはできるのでしょうか？

はい、見られます！

肉眼では見えないのですが、科学者ってほんとうに頭がいいのです。

２０１９年、ブラックホールの撮影に成功したというすごいニュースが報じられました。見られたのは、巨大な銀河「Ｍ８７」の中心にあるブラックホール。

Ｍ８７は地球から５５００万光年も離れた巨大な銀河なのですが、その中心に、超巨大質量ブラックホールがあることは以前からわかっていました。

撮影に成功したのは、日本も参画している「イベント・ホライズン・テレスコープ（ＥＨＴ）」という国際協力プロジェクト。

これは、世界に点在する電波望遠鏡を結合させて、非常に高い感度と解像度を実現した擬似的に地球と同じ規模の大きさをもつ電波望遠鏡を実現する「超長(ちょうちょう)

インターステラー
（2014年　クリストファー・ノーラン監督）

近未来の地球。主人公・クーパーは、滅亡に瀕した人類をブラックホールのワームホールを通った先にある別銀河に移住させるミッションのため宇宙へと旅立つ。作中ではブラックホールはガスのようなものとまぶしい光で表現された。

基線電波干渉法（Very Long Baseline Interferometry: VLBI）」という技術を使って、ブラックホールの撮影を試みるものです。

「地球規模」と言うとイメージがわきませんが、APEX（チリ）、アルマ望遠鏡（チリ）、IRAM30m望遠鏡（スペイン）、ジェームズ・クラーク・マクスウェル望遠鏡（米国ハワイ）、サブミリ波干渉計（米国ハワイ）、サブミリ波望遠鏡（米国アリゾナ）、アルフォンソ・セラノ大型ミリ波望遠鏡（メキシコ）、南極点望遠鏡（南極）といった、**世界中の8つの望遠鏡を総動員**しているのです。

これらの電波望遠鏡で撮影されたデータからブラックホールの画像として処理するために、独マックス・プランク電波天文学研究所と米国マサチューセッツ工科大学のヘイスタック観測所のスーパーコンピュータが使われました。データはペタバイト（１００万ギガバイト）にも及んだそうです。

これらの最初の研究成果の発表では、ブラックホールはリング状であったということですが、別の独立検証チームにより、まだ完全にブラックホール全体が見えているわけではなく、さらに地球上の電波望遠鏡を増やしていかなければ見えないかもという報道がされました。今後の解析が待たれます。

ちなみに、国立天文台によると、この電波望遠鏡は、**地球と同じ大きさの望遠鏡を作ったのと同じことであり、地球から月面に置いたゴルフボールが見えるくらいの視力をもつ**ということです。これは驚きですね。

✸ ブラックホールがあるなら「ホワイトホール」もある!?

「ブラック」があるならば「ホワイトもあるのでは？」と考える人もいるのではないでしょうか。はい、**「ホワイトホール」**という天体の存在も実は考えられています。映画**『地球が燃えつきる日』**でも、小型隕石(いんせき)の衝突でホワイトホールが発生しますね。

ホワイトホールも「穴」ではなく「天体」です。**ブラックホールが飲み込んだ物質が、ホワイトホールから放出される**のです。

ホワイトホールもいろいろな議論がなされています。

たとえば、「ブラックホールの裏側にあってトンネルのようなものでつながっているのではないか」「ホワイトホールの外側にブラックホールがあるのではないか」、また、「ホワイトホールが放出した物質はすぐに外側のブラックホールに飲み込まれてしまうので、ホワイトホールとブラックホールは同一のものなのではないか」などです。

しかし、「ホワイトホール」は、残念ながらまだ存在が実際には確認されていません。

地球が燃えつきる日
（2011年　W・Dホーガン監督）

ある日、地球に小型隕石が衝突し、ホワイトホールが発生する。それにより地球の自転が止まってしまい、地球の半分が太陽により炎上、半分は凍ってしまうという人類存亡の危機を描いたカナダ映画。

しかし、理論上の予測でも実験的にも、完全に否定しきることは難しいのです。

ブラックホールでワープできるかもしれない!?

しかし、このホワイトホールがもし存在するのであれば、「ワープ」もできるかもしれない、そんなお話もあります。

たとえば、ブラックホールとホワイトホールが、先ほどお話ししたようにトンネルのようなものでつながっているとしましょう。このトンネルは**「ワームホール」**と呼ばれています。ワームホールは「虫食い穴」という意味のようですね。映画『インターステラー』にもワームホールの描写がありました。

実は、このワームホールもホワイトホールと同じく、実在はまだ確認されておらず、あくまで数式上で存在しうるというお話であり、「実際には存在しないのではないか」と多くの研究者は考えているそうです。

仮に『インターステラー』のように、**ブラックホールの中に入った宇宙船が、ワー**

ムホールを通ってホワイトホールから出てこられたとしたら、短時間でとても大きな距離を移動できるかもしれません。これが**「ワープ」**です。

では、この「ワープ」はほんとうにできるのでしょうか。

残念ながら、現代の科学をもってしても不可能である、そう言わざるを得ません。

まず、ブラックホールに宇宙船を突入させて無傷でいられない、それどころか、こっぱみじんになり姿形もなくなることが理由に挙げられます。

そして、もし仮にホワイトホールがあったとしても、ブラックホールに入った後、いつどこに宇宙船が出てくるのかもわからないのです。地球からもっとも近いブラックホール「ガイアＢＨ１」でも、約１５６０光年離れた場所にあるので、行くことすら不可能でしょう。

でも、タイムマシンの話を思い出してください（34ページ）。

もし宇宙船が光のスピードの０・９９９倍で移動できたとしたら時間は22分の１に縮むので、約１５６０光年離れた場所に、宇宙船に乗った人は約70年後に到着することになります。そして、光の速度の０・９９９９倍で70分の１の約22年後、０・

9999倍で224分の1の約7年後に到着できる計算になります。
光のスピードに近い宇宙船ができたとしたら、不可能ではない時間感覚にはなりますね。

✴ワープするときは時空がゆがむってほんとうですか？

SFでは、ワープするときにゆがんだ時空を進んでいく、そんなイメージがあるのではないでしょうか。原稿用紙のような方眼紙のような正方形のマス目がふにゃふにゃとしているイメージ。たとえば、『ドラえもん』ののび太の机の引き出しから飛び乗るタイムマシンで描写される、ゆがむ空間です。

では、この時空がゆがむとは何なのでしょうか、ほんとうに時空はゆがむのでしょうか？

私たちの世界で、時空がゆがんで見えることはあり得ません。まあ、せいぜいめまいのときくらいでしょうか……。

ところがアインシュタインの一般相対性理論では、**質量をもつ物質があるとその周辺の時空はその質量に応じて、目に見えない程度ですが「ゆがむ」**と考えています。

かんたんに説明すると、次のようなイメージです。

やわらかいベッドの上に方眼紙を置いたとしましょう。

もし重力がなければ（方眼紙の上に物を置かなければ）、時空、つまり方眼紙のマス目は、キレイに正方形が保たれたままです。しかし、重力（重さ）がある鉄の球を方眼紙の上に置くと方眼紙は重みで沈み、正方形のマス目はゆがみますよね。そして、ブラックホールはとほうもない重さの鉄の球のようなものですから時空をかなりゆがめるのです。

ブラックホールが時空をゆがめている裏付けとして、こんな話があります。

ブラックホールは光さえも飲み込むので、地球からはブラックホールの裏側にある天体からの光は見られない……はずなのです。

しかし、２０２１年、地球から8億光年離れたところにあるブラックホールが、時空をあまりにも大きくゆがめているため、その後ろで発生したX線のフレア現象（強いX線の放出）を地球から観測できた、と米国の研究チームが発表しました。

このように実際に時空はゆがむことがあるのです。

しかし、ワープが実現可能となったときに、ほんとうにゆがんだ時空を進んでいくのかは、現実的に確かめることが今のところはできないのが実情です。

もしワープができるならあなたはどこへ行ってみたいですか？

Q ウソホント 14

『天気の子』の
主人公のように
天気を
操れますか？

A

ホント

○

完全に天気をコントロールできる時代はすぐそこまで来ています。

『天気の子』では〝天気を操る〟少女・天野陽菜(あまのひな)が雨の日に祈れば、晴れになるというシーンがあります。祈るだけではムリですが、天気をコントロールできるテクノロジーは実際にあります。

たとえば、２００８年の夏季北京オリンピック。８月８日の**開会式の会場に雨を降らせないように、近づく雨雲を実際にコントロール**したといいます。

では、どのようにコントロールしたのでしょうか。

まず、会場に近づいてくる雨雲を探し、発見したら小型飛行機で上空へ行き、「ヨウ化銀(かぎん)」という無機化合物(むきかごうぶつ)を散布。会場に雨雲が接近する前に雨を降らせて、その雲を消滅させました。さらに当日、もうひとつ近づいてくる雲が発見されたので、

天気の子
（2019年　新海誠監督）

離島から家出してきた高校生・森嶋帆高と、祈るだけで局所的にではあるが天気を晴れにできる能力を持つ少女・陽菜が出会い、自分たちの運命に翻弄（ほんろう）されながらも進んでいく物語。

その雲に対してはヨウ化銀を搭載したロケットを1000発ほど打ち上げ、開会前に消滅させました。

これにより、オリンピック会場が雨に降られない状況を作り出すことに成功したのです。

「ヨウ化銀」は雲の中の水分子と化学反応させることができる化学物質で、人工的に雨を降らすことができるものです。

このようなテクノロジーを使って、実際にロシアや中国は干ばつや水不足の対策のために人工降雨を行っています。

台風もコントロールできる時代が来る⁉

実は、1962～83年に米国政府はハリケーンを消滅させる「ストームフューリー計画」を実施していました。ヨウ化銀をハリケーンの目に投入したり、カーボンブラック（炭）で台風発生場所を固定したり、ゲルを使って台風の水分を搾り取ろうとしたり、海水の水位を下げてハリケーンを発生させないようにするなどの研究、実験をくり返しています。

ちなみにカーボンブラックは、太陽のエネルギーを吸収して大気へ放出し、気温を上昇させることができます。

そのため、飛行機で下層大気へカーボンブラックを散布して海の上の気温を上昇させ、海水の蒸発を促し、雷雨を作り、ハリケーンから雨（水）を搾り取ることで勢力を弱めたり、ハリケーンを消滅させたりできるという発想でした。

しかし、ハリケーンの巨大さや発生の予測が難しい点などからこの計画は終焉してしまいます。

日本ではロシアや中国のような天気コントロールの話はあまり聞きませんが、**台風をコントロールする試みが開始**されています。

２０２１年、横浜国立大学に「台風科学技術研究センター」が設立されました。

そこでは台風の観測研究、台風の予測研究、台風発電研究、それらの社会実装の研究が行われていて、日本政府が主導している、「ムーンショット型研究開発事業」にも選ばれているすごい研究です。

ムーンショット型研究開発事業とは、破壊的なイノベーションの創出をめざし、従来技術の延長にない、大胆な発想に基づく挑戦的な研究開発（ムーンショット）を推進する事業のことです。

ではこの研究で、どのように台風をコントロールするのでしょうか？

これも前述の北京オリンピックと同じく、ヨウ化銀、氷などを使います。台風が太平洋上空で生まれて、日本へと北上してくる間に、飛行機で上空までいき、台風の目に大量の氷やヨウ化銀、ドライアイスを投下するというテクノロジーです。

これが実現すれば台風による災害を未然に防ぐことができるのです。災害大国の日本にとって大変な朗報と言えます。

おそらく2050年までには天気を完全にコントロールできるでしょう。

ほかにも、**カミナリを人工的に作れる**可能性もあります。

たとえば、ロケットでカミナリを誘導させる方法「ロケット誘雷（ゆうらい）」です。これは、ワイヤに接続した小型ロケットを雷雲に向けて発射して避雷針（ひらいしん）のようにし、雷放電を誘発する方法です。

米国や日本などで実験には成功しているようなので、こちらも実現すれば、あらかじめ別の場所に落雷させて落雷による停電や火災などの被害を防ぐことができます。

このあたりは、「すごい」と思う一方で、自然を制御すると私たち人類はどのような影響を受けるようになるのか、そのあたりも気になりますね。

Q ウソホント 15

『オデッセイ』の主人公みたいに**火星で人間は生き延びられる**のでしょうか？

A

半分ホント

△

開発中のテクノロジーが実ってお金があれば、火星の施設で生き延びて野菜も食べられるでしょう。

76ページでは火星でなんらかの生命体が生きられる可能性があることを示しましたが、人間はどうでしょうか?

映画**『オデッセイ』**は、主人公が火星に一人取り残されながらも、希望を捨てずにあらゆる手段を模索して生き延びるという、シリアスな中にユーモアもある作品です。

実際、火星の大気は地球と違います。地球の大気(空気)は、窒素、酸素、アルゴン、二酸化炭素などでなりたっています。この大気で私たちは呼吸し生きていられます。

しかし火星の大気は95パーセントが二酸化炭素で、残りは窒素、アルゴンなどで

オデッセイ
(2015年　リドリー・スコット監督)

火星の有人探査中に1人火星に取り残された主人公・ワトニーの孤独な闘いと、彼を救い出そうとするスタッフたちの奮闘を描く。ワトニーは全ミッションの残留物の物資であるジャガイモとクルーの排泄物を使い栽培に成功し、食いつないだりする。

なりたっています。私たちに必要な酸素がないのです。つまり、火星の外では、宇宙旅行のところでお話しした船外宇宙服を着用する必要がありますね。

次に、生き物に必要な「水」はどうしたらいいでしょうか？

火星では3つの方法で水を得られるかもしれません。ひとつ目は**「火星に存在しているかもしれない水を利用すること」**。2つ目は**「水素と酸素から水を作ること」**。3つ目は**「水を地球から運ぶこと」**です。

77ページで述べたように、火星には、水が流れていた跡は見つかっています。しかし、今の火星には水が見つからないのです。水はどこへ行ってしまったのでしょうか？

多くの水は、宇宙へと逃げていってしまったと考えられています。地球には磁気圏（磁場が届く範囲）がありますが、火星の磁気圏は弱いので水も宇宙へと逃げてしまうのです。しかし、水は宇宙へと逃げていっただけではなく、火星の地殻（地表から約20〜37キロ）にも浸透していると推測される、そんな研究もされています。

では、水素と酸素から水を作ることは可能でしょうか？

実は作れるのです！

まず、**「水素」は火星の地下に水素の貯蔵層（ちょぞうそう）が発見**されています。

そして、ＮＡＳＡが打ち上げた火星探査機（かせいたんさき）「パーシビアランス」は、**火星の大気中の二酸化炭素から「酸素」を作ることに成功**しています。パーシビアランスの装置で火星の大気を取り込み、フィルターでまずダストなどを除去します。その後、チャンバーという容器内で二酸化炭素を圧縮、加熱します。

すると、二酸化炭素が炭素と酸素に分離されるので、酸素を収集できます。

この実験で約５・４グラムの酸素を作れました。これは宇宙飛行士が10分間呼吸できる量にあたります。

以上、**水素と酸素から水を作れる**というわけです。

でも実際に、火星の地殻から水を取り出したり、地下の貯蔵層から水素を取り出したりするには、巨大なインフラ整備が必要となるでしょう。

水素と酸素から水を作れる

分子で説明すると、水素はH_2、酸素はO_2、そして水はH_2Oなので、水素と酸素から水を作れる。

では、水を地球から運ぶとしたら、いくらお金がかかるでしょうか？　たとえば、火星への移住計画を進めている、世界一のロケット企業「スペースX」のロケット「ファルコン９」と「ファルコンヘビー」で火星まで運ぶとしましょう。

「ファルコン９」は、約67億円の打ち上げ費用で火星まで４０２０キロの荷物を運べます。１キロあたり約１７０万円です。また、「ファルコンヘビー」は約97億円の打ち上げ費用で１万６８００キロの荷物を火星まで運べます。こちらは１キロあたり約58万円です。

成人１人が１日に必要とする水は２・５リットルだと言われています。

たとえば、３ヶ月分の水（２・５リットル×30日×３ヶ月）を火星に運ぶとするとファルコン９の１回の打ち上げで１人あたり約３億８０００万円、ファルコンヘビーで約１億３０００万円くらいのお金がかかります。１人や２人の話ではないのでさらに人数分のお金がかかるのです。

やっぱり**地球から水を火星へ運ぶのはお高くつきます**ね。

✴ 火星で農業をするには「うんち」が必要？

『オデッセイ』では主人公が生き延びるために農作物を育てる、そんなシーンがあります。では、火星でほんとうに農業ができるのか検証してみましょう。

植物を育てるには、水、二酸化炭素、光、適切な温度、養分などが必要ですが、**「水」**は作れて、「火星」には大量に**「二酸化炭素」**があります。

そして、**「太陽の光」**。農作物は植物ですから**光合成**（こうごうせい）が必要です。火星も地球と同じ太陽のまわりを回っている「太陽系」に属していますが、火星にはどれくらい日光が届くのでしょうか。

太陽から地球までの距離は1億4960万キロ、太陽から火星までの距離は2億2794万キロで、火星のほうが地球より約1.5倍太陽から遠いです。

日光の強さは、距離の2乗に反比例するので、火星では地球の半分以下の日の強さで日光不足かもしれませんね。

光合成

植物が光を浴びることで、空気中の二酸化炭素と水からデンプンなどの炭水化物を合成し、酸素を出すこと。なお、ヒトは光合成できないが、外で気持ちよく日光を浴びることを「光合成した」と表現することがある。

ほかにも、紫外線が地球よりも強く、そして宇宙線という放射線もたくさん降り注いでいることがわかっています。それが植物の生育に影響してくる可能性はあります。

次に、**「温度」**。実は火星の平均気温はマイナス63℃、最高気温と最低気温はそれぞれ30℃とマイナス１４０℃です。平均的にかなり寒いです。地球は平均約14℃ですから、これでは植物を火星の屋外で育てるのはムリです。

そして、**「養分」**。これは正直なところ火星にはないでしょう。十分な調査はまだできていませんが、火星の過酷な環境を考えるとないとするのが自然です。

ではどうしたらいいでしょう。

実は、人間のうんちを使うのが一番効率的なのですが、肥料にうんちを使っても、植物が育つような土壌がないため、火星の土壌を植物が育つような環境に変えていく必要もあります。たとえば、水や空気を通せるような土壌にしたり、pH（ペーハー、ピーエイチ、ピーエッチ）を調整したり、微生物を定着させたり、やるべき

pH

水素イオン濃度指数の略称。これの値でアルカリ性か酸性かなどを示す。植物を育てるときに、アルカリ性や酸性のどちらかに傾きすぎると生育が悪くなるので、よい環境にするために土に石灰をまぜるなどで調整する。

ことがたくさんあるようです。これが結構大変なことなのです。

しかし、朗報もあります。火星ではなく月の話ですが、日本の建設会社の大林組と「トーイング」（日本の名古屋にある企業。宇宙農業の実現をめざしている）が月の土に似せた砂でコマツナの栽培に成功したり、オランダの大学が火星の土に似せた砂でミミズの繁殖に成功しています。ミミズは植物が育つのにとても重要な役割をします。

ここまで説明しましたが、「屋内で植物を育てる植物工場を火星に作ったほうが早くないですか」というツッコミをいただくかもしれません。

それについても触れたいと思います。

✷ 宇宙の植物工場で野菜を育てる!?

今、**国際宇宙ステーションISSには、試験的に植物を育てる工場がいくつかあります。**工場よりも、「装置」と言ったほうがイメージしやすいかもしれません。

たとえば、ＮＡＳＡは野菜栽培実験プロジェクト「ベジー」をＩＳＳで進めていて、これまでにミズナ、レッドロメインレタス、東京ベカナ（白菜の一種）の栽培に成功しています。

ほかにも「アドバンスド・プラント・ハビタット」という装置もあります。

この装置は水、空気、温度などの調整がすべて自動化されていて、「ベジー」の装置よりも多くの色のＬＥＤライトがあります。赤、緑、青だけでなく、白、遠赤、さらには赤外線でさえ、照らすことができるのです。光の種類が増えることでいろんな植物の生育に適した光を当てられます。

日本もＩＳＳで野菜栽培をしていて、２０２１年には野口聡一（のぐちそういち）さんが30日間、バジルの栽培実験を行いました。ちゃんと**バジルは芽を出し生長してくれましたね。**

✷ 植物の生長に重力は影響するのか

国際宇宙ステーションＩＳＳは無重力ですが、植物に影響はないのでしょうか？
東北大学の高橋秀幸（たかはしひでゆき）教授らの研究チームは、ＩＳＳの日本実験棟「きぼう」で、**重力がない環境と重力がある環境で、きゅうりの根がどのように生えていくのかを実験**しました。

その結果、きゅうりの根は、無重力の環境では水分の多い方向に伸びていき、「きぼう」実験室内で人工的に作り出した地球と同じ重力では、水分の多い・少ないに関係なく、重力方向に伸びたそうです。

もし火星で農業をしたとしたら、重力は地球の3分の1ですが、野菜の根は重力の方向に伸びていくのでしょう。

このように、**宇宙でも環境が整う施設があれば問題なく野菜、植物だって育てられるのです。**

Q ウソホント 16

『斉木楠雄のΨ難（サイなん）』の
斉木みたいに
人の考えを
読み取る
ことはできますか？

A

ホント
○

テレパシーは脳波を捉(とら)えることでイケる可能性大！

『斉木楠雄(さいきくすお)のΨ難(サイなん)』の主人公・斉木楠雄はテレパシーをはじめとしたさまざまな超能力を駆使(くし)します。

では、斉木のように特殊能力がなくても、誰でもテレパシーが可能になる未来はほんとうに来るのでしょうか？

実は技術的には可能です。ただし、お互いに「ＢＣＩ」をつけている場合に限るでしょう。**ＢＣＩは「ブレインコンピュータインタフェース」**、これは「脳とコンピュータを結びつけるもの」という意味で、形状としては頭に取り付けるヘッドギアのようなものです。

たとえば、こんなシーンが未来では可能になるでしょう。眠くて退屈な授業中、

斉木楠雄のΨ難
（2012〜2018年　麻生周一作）

生まれつきの超能力者・斉木楠雄の高校生活と日常を描く。斉木はテレパシーをはじめとするさまざまな超能力をもつが、友人の燃堂と虫だけにはテレパシーが効かない。

友だち同士で脳内で会話も楽しめます。また、会いたくても会えない切ない遠距離恋愛でも、まるで近くにいるかのような感覚になれるでしょう。仕事の現場でも、インカムなしで会話しながら静かに仕事を進めるなんてこともできるでしょう。

でも私たちが一番期待するのは、**「相手の考えていることを盗み聞きできるのか？」**ではないでしょうか。ＢＣＩのように頭部の近くにある装置ではなく、遠隔でも脳波が計測できるようなテクノロジーがあれば、プライバシーは破られるでしょうね。でも、今現在のテクノロジーでは、脳波は頭の周辺でしか計測できませんので、安心してください（笑）。

しかし、こんな話もあります。ＢＣＩを脳にチップとして埋め込むというものです。実業家イーロン・マスク氏の会社「ニューラリンク」は、脳内埋め込み型のＢＣＩの開発をしています。

もし未来において脳内にＢＣＩを埋め込むことが強制的、義務的な世の中になったとしたら、相手の考えていることを盗み聞きできてしまうかもしれません。

もしかしたら、**超能力者とは、遠い距離の微細な脳波をキャッチできる能力がある人なのかもしれませんね。**

✴ 脳波でモノを操るブレインテック時代

映画『**ドラえもん　のび太とブリキの迷宮**』には、思ったことを「イメコン」という装置でロボットに伝え、指ひとつ動かさなくても生活できるチャモチャ星が登

ドラえもん　のび太とブリキの迷宮
（1993年　芝山努監督）

何者かにブリキン島に招待されたのび太とドラえもんだったが、ドラえもんがさらわれる。さらったのはチャモチャ星のロボット軍。チャモチャ星は人間が自ら動かなくてもいい生活を求める余り歩行すらできなくなり、ロボットの支配下に置かれていた。

場しました。

脳波でモノを操る、そんな時代はもう来ています。イメコンのように、私たちが動かずとも脳に思い浮かんだことが実行される、そんな時代です。

たとえば、文字のタイピングです。脳性麻痺（のうせいまひ）などで言葉をうまく出せない患者さんのために開発されたようですが、脳に文字を思い浮かべれば勝手にコンピュータがタイピングしてくれるのです。

今では、**「脳波タイピング」**なんていう競技もあります。

2019年に中国の北京で開催された世界ロボット大会において1分間で140文字相当のタイピングを脳波で実施して世界記録が樹立されました。これは、指のタイピング速度を上回るすごい記録です。

脳波タイピングの仕組みは次のとおり。ディスプレイ上に表示される文字が、それぞれ異なる周期でついたり消えたりします。入力者が入力したい文字に注目すると、それにシンクロした脳波が発生して、この脳波の測定により文字入力をするのです。この脳波タイピングを操るのはそうかんたんではないようで、精神的に緊張したりすると間違えやすくなるそうです。

この１分間で１４０文字相当という世界記録を樹立した人物は、かなりの精鋭ですね。

これらを実現するには、やはりＢＣＩが必要になります。

また、少しだけ先の未来になるのでしょうが、**クルマの運転が脳波でできる**時代も近づいています。

メルセデスベンツは、「ヴィジョンＡＶＴＲ」というクルマの研究を発表しました。これは頭にＢＣＩを装着して、ＢＣＩで脳波をキャッチしてその脳波をクルマ内のＡＩへ送ることでクルマを運転するのです。

２０３０年以降の未来は、**頭に思い浮かべるだけで、リモコンを使うような感覚でモノを遠隔に操作できるようになる**でしょう。

実現したら、チャモチャ星人のように座ったままもしくは寝たままで、ほんとうにカラダを動かさなくなりますね（笑）。

Q ウソホント 17

『ノウイング』のように
太陽の表面が
大爆発すると
地球は滅亡する
んですか？

半分ホント

地球は磁場によって守られているから影響はないけど、もし磁場が反転したら

大変なことになるかも。

地球に磁場があることは知っていますか?
地球全体は磁石になっていて、南極から北極に向けて磁力線が走っています。方位磁石(コンパス)の針のNが北を示すのは、そのためです。

実は、**太陽も、地球と同じようにN極とS極をもつ大きな磁石になっています。**

でも、地球のようにシンプルな磁場ではなく、黒点がちょっと悪さをしています。子どものころ、黒いフィルターをつけた望遠鏡で太陽を見た経験がある方も多いでしょう。そのときに太陽にポツポツと黒い点が見えたと思いますが、それが黒点です。黒点にも強い磁場があります。時期によって変化するようですが、この磁場

ノウイング
(2009年　アレックス・プロヤス監督)

宇宙科学者のジョンがタイムカプセルから発掘された紙片の数字を解き明かすと、そこには「地球を巻き込む規模の太陽フレアの爆発が起こり地球は滅亡する」という予言が書かれていた。そして実際に太陽フレアの影響でさまざまな事件が起きていく。

は地球の磁場の1000〜1万倍にもなるようです。

そのため、太陽全体の磁力線は黒点の影響を受けて、ちょっといびつで複雑な形になっているのです。

この**太陽の磁場のエネルギーで「太陽フレア」という爆発が起こることがわかっています。**そのメカニズムは詳しくはわかっていないのですが、この爆発によって太陽からガンマ線（放射線の一種）が放出されます。

一説では、太陽の赤道付近の自転が27日間、極付近の自転が30日間と異なっていて、この自転の違いによって磁力線にゆがみが生じ、そのゆがみが溜まって一気に爆発を起こすのではないかと言われています。地震のプレートのゆがみと似ています。

この爆発により地球まで到達するのが「太陽風」なのです。

✴ 次に太陽表面の爆発が起きるのは2025年！

映画『ノウイング』は、太陽フレアの太陽風が地球を直撃することで、飛行機が墜落したり、地下鉄が脱線しホームに突っ込んだり、多数の犠牲者が出る太陽フレアの恐ろしさを描いた映画です。

太陽フレアが活発になるとき、太陽風が強くなります。すると、たとえば、地球の空を飛んでいる飛行機や海を航行している船舶の通信に影響が出てしまうのです。地球を滅ぼすほどではないですが、ほかにも、宇宙を飛んでいる人工衛星を故障させたりと、意外と厄介です。

ＮＡＳＡやＮＯＡＡ（アメリカ海洋大気庁）は、次に大規模な太陽フレアが起きるのは２０２５年７月ごろと予想しているそうです。太陽フレアが活発になるときは必ずニュースになりますので、ぜひご確認ください。

✴太陽風が夜空にキレイなカーテンを見せてくれる!!

デメリットだけに思える太陽風ですが、この**太陽風がノルウェーなどで見られるオーロラを作ってくれる**ことは知っていましたか？

太陽風にはガンマ線だけでなく、電気を帯びた粒子も含まれていて、地球の磁場によって引き寄せられ地球の大気中の粒子と衝突します。すると大気中の粒子がプラズマ状態になって、キレイな色を出してくれるのです。

「プラズマ」とは、「固体」「液体」「気体」とは別の状態を示す物質の第４の状態と言われるものです。粒子と粒子が衝突することで粒子から電子が放出され、プラスの電気をもった電子とマイナスの電気をもった電子に分かれ、明るいキレイな色を放ちます。

身近なものでは、蛍光灯がプラズマのよい例です。

余談ですが、オーロラが地球の高緯度であるノルウェーなどで見られるということは、高緯度地方には、太陽風のガンマ線などの放射線が多く降り注いでいることを意味しています。

「え、大丈夫なの？」と不安になった方もいらっしゃるかもしれませんが心配はいりません。

人体に影響があるほどの線量が降り注いでいるわけではありませんから。

✷ 太陽の磁場が反転したらどうなる？

太陽の磁場は22年周期で反転していることがわかっています。反転とは、つまり北が南に、南が北になってしまうようなものです。

そして、その半分の11年周期で黒点の数が増減していることもわかっています。千葉大学の堀田英之特任助教（当時）が、２０１６年にスーパーコンピュータ「京」を用いて、この周期性の事象を再現することに成功し、太陽の磁場の生成のメカニズムを解明しました。

また、太陽の磁場はきまぐれで、通常の周期とは違った現象も起こります。太陽の北極と南極がともにプラス極となって、赤道付近にマイナス極ができるような、太陽の磁場が４重極磁場構造になりつつある現象が、ＪＡＸＡ（宇宙航空研究開発機構）の衛星「ひので」によって観測されたのです（２０１２年）。

そのときは、11年周期の黒点の数が多くなるタイミングだったので**太陽フレアが**

発生すると考えられていましたが、なぜか太陽は静かだったそうです。いろいろと不思議ですね。

✷ 地球の磁場は何度も反転していた！

映画『**エンディング・ワールド**』は、大規模な太陽フレアが地球の磁場を破壊してしまい、地球の磁場が反転し、地殻変動で溶岩が流れ出し、南極、北極などの氷が溶けて海水面が急上昇し地球が沈んでしまうという恐ろしい描写をしています。映画のように、地球の磁場は反転することはあるのでしょうか。

実は、**恐竜がいたときより前の時代の地層を見ると地球の磁場が反転した記録が残っています。**

パリ地球物理研究所によると、5億年ほど前のカンブリア紀中期に、100万年のあいだに26回も地球の磁場が反転していたと言います。一方、おおよそ1億年

エンディング・ワールド
（2017年　アダム・リプシウス監督）

太陽フレアの影響で地球の磁場が逆転、地球では地震や津波、大陸の沈没などさまざまな天変地異が起きる。主人公の科学者・ジョシュは原因を突き止め大統領に警告するが、無視されてしまう。

前の白亜紀には、約４０００万年もの長い間、地球の磁場が反転しなかった時期もあるそうです。ほかにも、77万年ほど前に地球の磁場が反転したときには、非常に磁場が不安定だったこともわかっています。

このように、地球の46億年の歴史の中で、地球の磁場の向きは何度も逆転し、周期性があるようでないような形で入れ替わっています。

その原因は今のところわかっていません。

しかし、米国のロチェスター大学の研究者らがある仮説をたてています。**「南大西洋異常帯」と呼ばれる地域が南米から南アフリカにかけて広がっているのですが、この地域は、世界でもっとも磁場が弱まっているところとして知られているのです。**

これには、地球内部の**外核**と**マントル**の境界にある大きな岩が影響しているといいます。地球の磁気は外核にある溶けた鉄が対流することで発生しますが、この岩が外核やマントルの流れを邪魔して、磁気を弱めているのです。

実はこの現象が、地球規模で発生している磁気の反転の原因になるのでは、とそ

外殻　マントル

「外核」は地球の中心部にある液体の層。「マントル」は外殻よりは外側の層で、岩石などから成り立つ。人間はまだ外殻やマントルを見たことはないが、地震のゆれ方の研究により中身を調査している。なお、地球の内部はおおまかに表面から「地殻」「マントル」「外核」「内核」の４層にわけられる。

の研究者らは言います。

もし現在、『エンディング・ワールド』のように地球の磁場が反転してしまったら、どのようなことが起きると思いますか？

そうなったら、**地球は大混乱に陥(おちい)ってしまう**でしょう。なぜなら、現在は地球の磁場がうまく太陽風の影響を回避してくれていますが、地球の磁場が反転する途中で、地球の磁場がなくなり、太陽風の影響を受けるようになるからです。

まず、地球上での通信はできなくなってしまいます。そしてＧＰＳなども利用できなくなりますので、飛行機、船は乗れなくなるかもしれません。そして太陽風は放射線ですから、地球に大量の放射線が降り注ぐことになるのです。

すると、多くの人が被ばくすることになります。これは、人類滅亡の危機と言っていいほどの大事件です。

次に地球の磁場が反転するのはいつになるのでしょうか。

これまでの地球の磁場が反転したタイミングを見てみると、そのころに私たちはもうこの世にはいないでしょうが、後世(こうせい)が心配になりますね。

Q　ウソホント　18

『スペース・ライン』のように
宇宙と地球をつなぐ
「宇宙エレベーター」は
実現できますか？

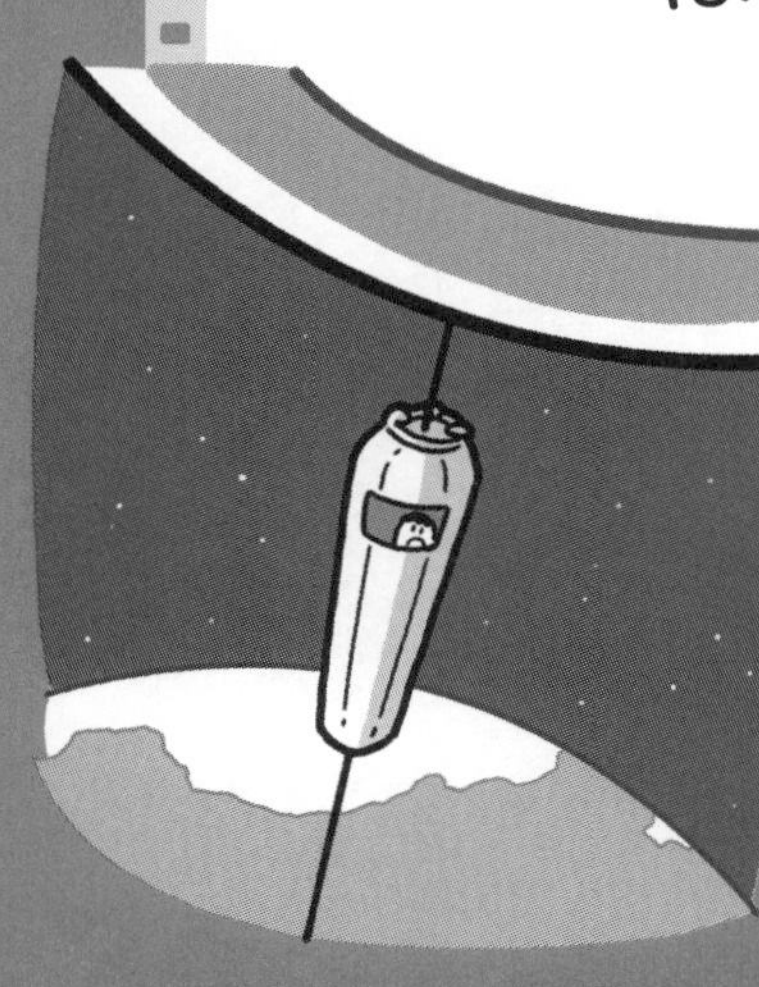

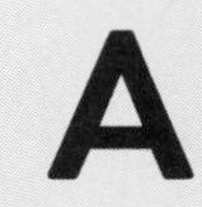

半分ホント

大林組が計画をたてているので、2050年以降に実現するかも!

映画**『スペース・ライン』**や**『劇場版仮面ライダーカブト』**で、地球と宇宙をつなぐ「宇宙エレベーター」というものを知った人もいるでしょう。

宇宙エレベーターは、日本では「軌道エレベーター」などと呼ばれることもあります。

地球の赤道上から高度約3万6000キロの**静止軌道**上までケーブルを張ることで、地球と宇宙の間にエレベーターをつけ、人や物を運びます。

では、宇宙エレベーターはほんとうに作れるのでしょうか。

宇宙エレベーターに情熱を注いでいる大林組は、次のように計画しています。

まず、静止軌道に衛星を配備します。その衛星から、ケーブルを結んだスラスター

静止軌道

人工衛星の軌道のひとつ。人工衛星が、地球から約3万6000キロの高度で、地球の自転と同じ周期(24時間)で回ると、地球からは止まっているように見える。そこで、「静止」軌道と呼ばれる。通信衛星や気象衛星などの軌道である。

(推進力を発生させるエンジンをもつ装置)を地球に向けて降下させ、反対に衛星は上昇させます。約２４０日かけて、ケーブルは地上に到着します。

そのケーブルをアースポート(地球上の拠点)に定着させます。衛星が高度９万６０００キロまで達したら、約８台の「クライマー」がこのケーブルを伝って順番に上昇します。クライマーの役目は、ケーブルの補強を行うことと部材などを運搬すること。

これにより静止軌道帯に宇宙ステーションを作るのです。

このアースポートから宇宙ステーショ

スペース・ライン
(2012年　ドリュー・ホール監督)

実用的な宇宙エレベーター開発プランのために創設された賞金10億ドルと、宇宙産業利権の独占を競う企業間のSFスリラー。

ン全体を「宇宙エレベーター」と呼びます。

✸宇宙へのアクセスがかんたんになるかも！

では、宇宙エレベーターのメリットは何でしょうか？

まず、宇宙エレベーターを使って、もし静止軌道に宇宙ステーションを作れたら、**大きな宇宙太陽光発電システムも作る**ことが可能になります（詳しくは232ページ）。

ここで得られた電力は、もちろん宇宙ステーションでも使われますが、地球に送電することもできます。

そして、いつかは**宇宙エレベーターを使った宇宙旅行も可能**になるでしょう。

ほかにも、さまざまな衛星や探査機をロケットを使うことなくかんたんに安く、宇宙の軌道に乗せることができるようになります。

またたとえば、静止軌道より宇宙側の空間には、太陽系の惑星探査や資源採掘（しげんさいくつ）の

劇場版仮面ライダーカブト GOD SPEED LOVE
（2006年　石田秀範監督）

巨大隕石による深刻な水不足と地球外生命体による侵攻を防ぐため設立された秘密機関ZECTは、巨大な氷の塊の彗星（すいせい）が接近することを感知。水資源確保のため軌道エレベーターと宇宙ステーション内のマシンで、彗星を引き寄せる計画を実行する。

ための施設を建設したり、一定の高さから宇宙船を放出すると、周回速度を利用して地球の重力圏から脱出させ、地球からよりもはるかにかんたんにほかの惑星の軌道に乗せられるなどのメリットもあります。

しかし、宇宙エレベーターの技術上の課題のひとつに、宇宙から地上へ吊（つ）り下ろせる強度をもつケーブル素材があるのかが挙げられます。

１９９１年ごろからこのケーブルの素材として注目されているのは、「カーボンナノチューブ」というものです。

そのため、大林組は２０１５年から継続的に、国際宇宙ステーションの実験スペースにカーボンナノチューブのサンプルを設置し、宇宙空間における耐久性の試験を実施しています。

ほかにも静岡大学は、宇宙エレベーターの建設のための研究をしています。

大林組や静岡大学の取り組みについては、さまざまな進捗（しんちょく）があると思いますが、まだまだ技術的な課題が多いのです。大林組は課題をクリアすれば２０５０年以降に実現可能と考えているそうです。とはいえ、宇宙エレベーターの実現にはとてつもない時間がかかるかもしれません。

でも、このような難しい課題に夢をもって挑戦している大林組、静岡大学には敬意を表したいですね。

Q ウソホント 19

『HEROS』のクレア
みたいに、攻撃を受けても
ノーダメージの体
は作れますか？

A

ホント ○

傷つけられても再生できる体は作れる可能性はあります。

日本人俳優マシ・オカ氏が出演していることでも話題になった、人気海外ドラマ『HEROES（ヒーローズ）』には、どんなケガをしても数秒で組織が再生する女子高生、クレア・ベネットというキャラクターがいました。

人間ではないですが、傷がついても勝手にその材料自体が修復してくれる「自己治癒材料」というものは、世の中には存在します。たとえば、コンクリートやプラスチックなどに自己修復する成分のものがあります。

でも、生物の体が攻撃を受けてもノーダメージなんてことはあるでしょうか？

実は、生物の中には、再生能力に長けたものがいます。たとえば、「プラナリア」。プラナリアは川などに棲（す）む、とても小さな生き物ですが、体を切っても切ってもそ

HEROES
（2006〜2010年　アメリカ）

ある日突然、時空間移動やテレパシー、空中浮遊など特殊能力に目覚めた世界中の人々が、能力者ばかりを狙う殺人者サイラーとやがて起こるとされるニューヨークの核爆発から世界を救う物語。

れぞれの断片から完全な体をもったプラナリアが再生されるのです。ほかには「イモリ」。イモリは足を切ってもその先端から再び足が出てきます。不思議ですね。

でも、高等生物になればなるほど、この再生能力が失われていくのです。

そう、鳥類や私たちほ乳類になると、正直プラナリアやイモリのような強い再生能力はないのです。

「再生医療」の研究はどこまで進んでいる?

『ドラゴンボール』のピッコロ大魔王は、腕を切ったとしてもすぐに再生することができますが、説明したとおりほ乳類である私たちは、残念ながら体は再生できません。

しかし最近の研究で、**人間の神経や臓器を再生できる可能性が出てきました。**

体の中に組織幹細胞(そしきかんさいぼう)という細胞があり、ここからいくつかの特定の機能をもつように特殊化した細胞を作り出せることがわかってきたのです。

それが、最近注目されている**「ES細胞」**や**「iPS細胞」**です。

まず、**「ES細胞」**について説明しましょう。受精卵の「胚（胎児になる前の初期段階）」の一部を、人間の体を構成するどんな臓器や組織、細胞にもなれるように培養したものが「胚性幹細胞（Embryonic Stem Cell）」、つまりＥＳ細胞です。

そして、もうひとつが「人工多能性幹細胞（induced Pluripotent Stem Cell）」、つまり**「iPS細胞」**です。人間の皮膚などの細胞に遺伝子操作を加え、人工的に培養することで、人間の体を構成する臓器や組織、細胞にもなれる幹細胞です。

名付け親は、世界で初めてｉＰＳ細胞の作製に成功し、ノーベル生理学・医学賞を受賞した京都大学の山中伸弥教授です。

２０１９年にはｉＰＳ細胞によって、立体的なミニ多臓器（肝臓・胆管・膵臓）が作られたという報告もあります。ただし、人間の体内で機能するようなサイズで、立体的な臓器を作れたという報告はまだありません。

ＥＳ細胞は受精卵から細胞を取り出し培養することで作られますが、ｉＰＳ細胞は受精卵ではなく人間の皮膚や組織の細胞を使うため、「採取しやすい」「赤ちゃんとなる受精卵を使っていないため倫理上問題とならない」などのメリットがあります。

また、ＥＳ細胞と違って、ｉＰＳ細胞は患者さん自身の細胞から作製した組織や臓器を移植するので、拒絶反応が起こりにくいとも考えられています。

その半面、ｉＰＳ細胞は、細胞に遺伝子操作を加え人工的に培養するため、「ガンになる可能性がゼロではない」という課題があると言われています。ただ、この点を解決するための研究も進められているようです。

ＥＳ細胞、ｉＰＳ細胞のどちらがいい悪いということではなく、どちらも私たち人類を助けてくれるすごいテクノロジーには違いありません。

再生医療の究極の目標は、**「臓器を丸ごと再生すること」**でしょう。

丸ごとの再生はまだ実現していませんが、部分的に機能する臓器のパーツを作ることにはすでに成功しています。

「細胞用の3Dプリンターを使う方法」「細胞が自然に集まって形を作る現象（自己組織化）を利用する方法」「脱細胞化（生物の生体組織から細胞を取り除いた組織）した組織を利用する方法」「動物の体の中でヒトの臓器を作る試み」など、さまざまな挑戦がなされています。

これらの実用化にはまだ時間が必要ですが、臓器移植の**ドナー**不足は深刻であり、将来的に**臓器丸ごとの再生が実現できれば、たくさんの方が助かる**かもしれません。

ES細胞やiPS細胞の研究が、将来どこまで人の体を再生させ、医療技術として利用できるのか……ワクワクしますね。

傷の治りを早めるテクノロジーはすでにある!

超音波やある周波数の振動を傷に当てることで、傷の治りが早くなるテクノロジーは存在します。

ドナー
「提供者」を意味する英語。医療では、臓器や血液、骨髄（こつずい）などを提供する人。

英シェフィールド大学の研究チームは、次のような研究に成功しています。

皮膚にはコラーゲンやヒアルロン酸などの成分を作り出してくれる「線維芽細胞」という細胞があるのですが、傷口に超音波を当てると皮膚内の情報伝達機構が活発になって、この線維芽細胞が、傷口付近で活躍するようになります。そして、皮膚の傷の治りが早くなるというのです。

また、英国ブリストル大学でも、**糖尿病を患った老いたマウスに超音波を当てたところ、皮膚の傷が30パーセントも早く治る**ことを確認しています。糖尿病で、治癒力が弱まっているにもかかわらずです。

これらが実現したらすごいですね。

ほかにも東京大学では、床ずれを解消するためのテクノロジーを開発しています。床ずれは、同じ体勢が続くと、布団などと体との間で皮膚がすれ体重で圧迫されて、血流が悪くなって起こる傷のこと。

東京大学が開発中の「リラウェーブ」は、振動するベッドのようなもの。マットレスを介して寝たきりの方の身体に振動を与えることで、筋肉、皮膚、自律神経などを刺激して、血行を促進し、床ずれの原因である血行不良を解消できると聞きます。今は開発段階ですが、血行不良の解消で症状が改善し、一部の方は完治した事例もあるそうです。

さすがに、マンガ『**鬼滅の刃**』の鬼のような、一瞬での治癒が現在のテクノロジーでは不可能です。

しかし、ご紹介してきたテクノロジーがより普遍的に使われるようになると、傷の治りがもっと早くなる世界が待っています。

たとえば、スポーツ選手がケガや手術で1年間試合に出場できない、なんて悲しいこともなくなる……そんな未来が実現してほしいですね。

鬼滅の刃
(2016〜2020年　吾峠呼世晴作)

大正時代の日本を舞台に、主人公・竈門炭治郎が鬼と化した妹・禰豆子を人間に戻すべく、鬼を狩る組織・鬼殺隊とともに鬼と戦う姿を描いていく。作中の鬼は、鬼の始祖の血を注ぎ込まれた人間で、傷ついても一瞬で再生できる能力をもつ。

Q ウソホント 20

『マイノリティ・リポート』のように**犯罪を予知**して防止できますか？

A

ホント

○

AIシステムで、すでに犯罪を予知することは可能になっています。

プリコグという予知能力をもった者が、殺人事件を予知し犯罪を防ぐ映画『**マイノリティ・リポート**』。防止できる犯罪があるならできるだけ防止してほしいものですね。映画のような予知能力まではいきませんが、実はすでに**世界では犯罪予知システムが稼働しています。**

米国には60以上の都市で導入されている犯罪予測システム「**プレドポル**」があります。これは、犯罪を予測できるアルゴリズムが搭載(とうさい)されたAIを使って、犯罪の発生が予想された場所を地図上に表示。そこを警察がパトロールして犯罪を防ぐというものです。

カリフォルニア州サンタクルーズ市警察では、このシステムによって犯罪を年間

マイノリティ・リポート
(2002年　スティーブン・スピルバーグ監督)

プリコグ（予言者）と呼ばれる3人の予知能力者とそれに従う犯罪予防局によって、殺人発生率が0%になった2050年代の近未来。プリコグによって身に覚えのない犯罪を予知された警察官の奮闘を描く。

でおおよそ10〜20パーセント減らすことに成功しているそうです。

また、別の犯罪予測ＡＩもあります。「ハンチラボ」と名付けられたＡＩは、過去の犯罪データを学習するだけでなく、天気、温度、湿度、風などの情報や開催されるイベントの種類、時間、規模などの情報、建物や人が集まるポイントの場所の情報を考慮したシステムです。この情報と過去の犯罪データを組み合わせて犯罪の発生を予知します。米国シカゴの殺人事件や発砲事件がこのＡＩによって減少したという成果も２０１７年に報告されています。

一方、日本では京都府警が「予測型犯罪防御システム」というものを２０１６年に導入しています。

このシステムにもＡＩが搭載されていて、犯罪が起きる確率が高いところが地図上に色でわかりやすく表示されます。そして、その場所を警察が重点的にパトロールするのです。

また、最近では、「シンギュラーパータベーションズ」という２０１７年創業のベンチャー企業が犯罪予知システムを開発しています。このシステムは、独自のノウハウとＡＩ技術を駆使したすごいもので、「CRIME NABI（クライムナビ）」と言います。過去の犯罪発生のパターンにもとづき、犯罪が起こりやすい場所を予測するようです。

この「ＣＲＩＭＥ　ＮＡＢＩ」はすでに、東京都足立区、名古屋市、福岡市などの自治体と連携して、２０２０年には足立区で犯人検挙につながった事例もあります。

人権の問題で犯罪者の監視が難しい日本では、さまざまな犯罪予測ＡＩが普及する可能性が高く、今後はＡＩシステムを利用した警察の見回りなども強化されるかもしれません。

『マイノリティ・リポート』のような未来も近いかもしれませんね。

✷ A－犯罪者を作る理由

犯罪者は実刑を受けて服役した後、一般社会へと戻ります。しかし、中にはまた同じような犯罪を犯し、刑務所へと逆戻りしてしまうケースが少なからずあるのは事実です。

ならば、その人物がいまどこにいるのか、どこに住んでいるのか、それを知れれば犯罪を遠ざけられる、そう誰しもが思うでしょう。

米国や韓国では、実際に性犯罪の常習者や前科者にＧＰＳの装着を義務化しています。韓国では義務化によって、再犯率が８分の１程度に下がったというデータもあるようです。

日本でも、２０２０年度から政府は性犯罪者のＧＰＳ装着の義務化について３年間集中的に検討するという報道がありました。また、保釈中に海外逃亡のおそれがある被告にＧＰＳ装着を義務づける制度についても、２０２２年度より実証実験を行い、早ければ２０２６年度からの運用を開始する方向だと言います。

一方で、そのようにＧＰＳをつけることに対して、人権などの倫理面で否定的な意見もあるのも確かです。

そこで、筆者は「犯罪者がどのような思考で犯罪を犯すのか」をディープラーニングさせて**「ＡＩ犯罪者」**を作るという試みは有効かもと考えています。

ＡＩ政治家、ＡＩ大統領などは適切な政策決定ができるようにＡＩの力を借りることを示しますが、ＡＩ犯罪者も似たような発想です。

ＡＩ犯罪者を開発するには、一人の犯罪者の思考だけをディープラーニングさせるのではダメです。犯罪者を何名、何十名、いや何百名と、できる限り多くディープラーニングさせるのです。

そうすることで、どのようなときに犯罪が起きるのか、どんな深層心理で犯罪を犯す気持ちになるのかがわかり、犯罪の発生が予想できるようになるでしょう。

この実現は２０３０～２０４０年ごろのそう遠くない未来だと思います。

Q ウソホント **21**

『ロボコップ』や『サイボーグ009』『仮面ライダー』のように、**人間をサイボーグ化**できますか？

半分ホント

人間では難しいが、昆虫や動物レベルではすでに実現しています。

サイボーグというと、懐かしいところではマンガ**『サイボーグ009』**や映画**『ロボコップ』**のサイボーグ警察官となった主人公が思い出されます。**『仮面ライダー』**も一種のサイボーグです。

残念ながら、現在、人間のサイボーグはまだ存在しません。

サイボーグを「自動で制御できる機械・ロボ系と生命体との融合」と定義するのであれば、広義では人工心臓も義足もサイボーグと言えるかもしれませんが……。

人間のなかでもっともデリケートで取り扱いにくい器官のひとつは、「脳」。サイボーグになるには、この脳を機械の中に埋め込まなくてはいけません。

そもそも、人間の脳の移植手術はとても難しいのです。

サイボーグ009
(1964〜1992年　石ノ森章太郎作)

主人公の少年・島村ジョーは、少年鑑別所からの脱走中、謎の男たちに捕らえられサイボーグに改造されてしまう。その謎の男たちは、世界の影で暗躍する死の商人「黒い幽霊団（ブラックゴースト）」。ジョーは他の仲間とともにブラックゴーストの悪事を止めるために戦う。コミックを原作としたテレビシリーズも大人気。

移植された脳がその体をコントロールできるようになるかどうかは、手術で切断された脊髄（せきずい）の修復が重要なカギとなります。手術後に電気刺激を与えると脊髄の再生が促されますが、脳と体の間で電気信号をやり取りできるようにならなければ、移植が成功したとは言えません。

もちろん、それだけではなく、脳への酸素の供給が途切れないようにしながら、すべての血管をつなぎ直す処置も必要となります。

２０１７年にイタリアと中国の医療チームが脳移植に成功したというニュースがありました。もちろん人間の脳を人間に移植したのです。しかし、遺体の脳を別の遺体へ移植しただけだと怪しんでいる研究者もいるようです。どちらにせよ、おそらく、脳移植の手術はこの１例だけでしょう。

つまり、人間の脳を機械へと移植しサイボーグ化したことはまだないのです。

では、逆に**人体に人工的な脳を取り付けることはできるでしょうか?**

まず「人工的な脳」が人間の脳と同じ能力、機能などをもつのは、現代の最新テ

ロボコップ シリーズ
(1987年　ポール・バーホーベン監督　ほか)

近未来の、犯罪都市と化した米国デトロイトが舞台。主人公の警官・アレックス・マーフィは犯罪者を追う中で殉職するが、遺体を生体部品にした「ロボコップ」として生まれ変わり、凶悪犯たちと戦っていく。

クノロジーをもってしても難しいでしょう。

しかし、昔から動物を使ったサイボーグの研究、実験は進められてきました。

たとえば、旧ソ連では、１９５０年代後半に犬の頭部とロボットを組み合わせたサイボーグの研究を行っていました。ソ連の崩壊とともにこの極秘プロジェクトは公となりましたが、どこまでこの研究が成功したのかは不明です。

昆虫サイボーグは軍事目的？

人間のサイボーグはまだ実現できていませんが、世界各国の国立研究機関、大学、企業では**昆虫にAIや電子チップをおんぶさせて、筋肉を自由自在に動かすという「昆虫サイボーグ」の研究が進められています。**もちろん、昆虫の体の中に電子回路を埋め込んだりもしています。

そうして、昆虫サイボーグを自由自在に操るのです。

でもなぜサイボーグ化させるのは昆虫なのでしょう。

仮面ライダー シリーズ
（1971〜73年　ほか）
原作は石ノ森章太郎。第一作では優秀な科学者でオートレーサーでもある主人公・本郷猛は世界征服をもくろむ悪の組織ショッカーにとらわれ、バッタの能力を持つ改造人間にされてしまうが、逃げ出した本郷は仮面ライダーとしてショッカーと戦う。

まず、昆虫であるメリットを見てみましょう。

昆虫はとても小さいです。そして大量に数が存在します。これが最大のメリットです。小さければ、人間が入れないところに入れます。そして大量にいますから、捕まえたり、養殖したりすればカンタンに手に入ります。サイボーグ化させる電子回路も小型で、高価なものではありません。つまり、コスト的にも大きなメリットがあるのです。

地震や自然災害で、多くの人が行方不明になってしまったとき、人間が入れないような瓦礫（がれき）の隙間（すきま）に、昆虫サイボーグを送り込めば見つけられるかもしれません。

しかし、昆虫サイボーグにはひとつ大きな問題があります。それは軍事的な利用が可能だという点です。普通、戦争において虫なんて気にしませんが、そのすきを狙って、虫が敵を偵察したり、攻撃したりできるのです。

戦争とまではいかなくても、プライバシーの問題もあります。昆虫だったらどこにでも不法侵入できるので、盗撮や盗聴だってかんたんにできるのです。

もし昆虫サイボーグが普及し販売されることになったら、法が整備されて、昆虫サイボーグを買えるかどうかは免許制になるでしょう。

おそらく２０３０～２０５０年には昆虫サイボーグが災害や軍事などで活躍すると筆者は考えています。

Q ウソホント 22

ゴミをエネルギー源に
できる
『バック・トゥ・ザ・フューチャー2』
のデロリアンみたいな
クルマを作れますか？

A

ホント

○

可能ですが、ゴミによってはカッコ悪いクルマになるかもしれません。

映画『**バック・トゥ・ザ・フューチャー2**』では未来に行ってきたドクが、かつては核燃料でないと動かせなかったデロリアンを改造し、生ゴミなどで駆動させています。

このようにゴミで動くクルマは作れるのでしょうか。

まず、ゴミの中でも**「可燃ゴミ」**で考えてみたいと思います。そもそも、自治体のゴミ焼却施設には、発電できるものもあります。「ゴミ発電」なんて呼ばれ、ゴミを焼却するときの熱でタービンを回して発電するのです。

では、「ゴミ発電」はどれくらいの発電ができるのでしょうか。

2021年に環境省が公表した『一般廃棄物の排出及び処理状況等（令和元年度）

バック・トゥ・ザ・フューチャー PART2
（1989年　ロバート・ゼメキス監督）

32ページの続編。1989年の現代に戻ったマーフィーは2015年の未来から帰ってきたドクに、自分たちが破滅すると言われ、未来を変えるためにともに未来に旅立つ。ドクが未来でデロリアンを改造したため、本作では生ゴミでタイムトラベルが可能。

について』によると、ゴミ焼却施設では、ゴミ1トンあたり292キロワットアワーの発電ができるといいます。単位を変換するとゴミ1キロあたり、おおよそ1メガ**ジュール**となります。

電気自動車なども増えましたが、今、クルマの多くはガソリン車です。ガソリンを使う理由は発熱量にあります。ガソリンの発熱量は47・30メガジュール／キロ。つまりガソリン1キロを燃焼すると47・3メガジュールのエネルギーが発生します。ディーゼル車に使う軽油は44・8メガジュール／キロ。

ゴミの発熱量は1メガジュール／キロで、ガソリンや軽油と50倍程度の違いがあります。

つまり、単純にゴミを燃料としたクルマを作ろうとするなら、ガソリンや軽油の50倍の燃料のゴミを積む必要があるのです。さらに、それだけのゴミの量を一気に燃やせるだけの空間や施設が必要となるのでかなりの大型になりますね。

つまり、「ゴミで動くクルマは作れますが、巨大なものになる」ということ。

ジュール

エネルギー、仕事量、熱量、電力量の単位である。英国の物理学者のジェームズ・プレスコット・ジュール氏の名前に由来する。メガジュールは100万ジュールのこと。

それだと、多分売れないでしょうし、そもそも日常で使うには巨大すぎます。何より前提として現在では車検が通りませんね。

生ゴミで動くクルマは作れる？

次に、「デロリアン」のように生ゴミで動くクルマが作れるのか検証してみたいと思います。生ゴミを燃やすなどして水分を飛ばせば可能でしょうが、検証方法が可燃ゴミと同じになるので、別の検証法で進めてみたいと思います。

生ゴミをうまく利用してエネルギーを得る方法、それは**「メタンガス（バイオガス）」**です。微生物の力を借りると、生ゴミからメタンガスを発生させられます。このメタンガスを利用すればクルマを動かせそうです。

メタンは、55・50メガジュール／キロの発熱量をもっています。これはガソリンの発熱量47・30メガジュール／キロよりも大きな値で、クルマを動かすのに十分可

メタンガス（バイオガス）
生ゴミや紙ゴミなどが腐ったりして発生するガスのこと。天然ガスの主成分でもあるが人工的にも作れる。

能なエネルギーです。

実は現在でもメタンガスで動くクルマは存在していて、技術的にも確立されているのです。

しかし、「デロリアン」のようなクルマにするには課題があります。

それは、生ゴミもクルマに乗せなければならない点です。ガソリンのようにそのつど生ゴミを載せる必要があるのです。

「デロリアン」は1回の生ゴミ補給で1回のタイムトラベルのエネルギーをチャージしていましたが、それは可能でしょうか。

まず、生ゴミ1キロあたりどれくらいのガスが発生するのでしょうか。

各自治体や企業の生ゴミによるバイオガス化事業を調べてみると、生ゴミの内容物などによっても違いますが、生ゴミ1トン当たりのメタンガス発生量150ノルマル**リューベ**程度（メタン50パーセント濃度）とします。

つまり、生ゴミ1キロあたり0・15／2リューベのメタンを発生できます。メタンの気体のときの密度は0・717キロ／リューベなので、生ゴミ1キロから50グ

リューベ

体積の単位の読み方。記号で「m3」と書き、「りゅうべい」とも言う。

ラムのメタンガスを得られます。

つまりまったくメタンの量が少なすぎるのです。

メタンの温度を下げて液体化するとしても融点のマイナス１８２・５℃まで下げなければならないですし、その設備も必要になります。

つまり、**「生ゴミで動くクルマは作れますが、可燃ゴミの検証と同様に巨大なクルマになる」**ということ。

結局巨大になるのでやはり売れないでしょう。

✸水とアルミニウムだけでクルマを動かせる「現代のデロリアン」

では、ガラクタをポイポイ入れるだけでクルマを動かせる、そんなことはありうるのでしょうか？

実はそんな技術があります。

福岡工業大学の高原健爾（たかはらけんじ）教授は**水とアルミニウム（以下アルミ）、たったこの2**

つだけで水素エネルギーを得られるというとてつもない技術を開発しました。

まずはこの技術について説明しましょう。

アルミは通常、水と反応することはありません。そのため工場などのアルミの廃棄くずを特殊な装置ですりつぶし、さらに細かい微粒子に加工して使います。アルミには酸素と反応しやすい性質があり、そのままだと表面はすぐに酸化してしまいごく薄い酸化膜に覆(おお)われてしまいます。しかし加工した微粒子のアルミは、粒子内に細かい亀裂があり、水がこの亀裂に沿って侵入し、水分子の分解が進むことで水素が発生するのです。

この技術を使うと、このアルミ1グラムと少ない水だけで、水素約1リットルを作ることが可能なのです。

では、水素でどのようにクルマを動かすのでしょうか。

じつは水素エネルギーで自動車を動かす技術はすでに開発されています。

水素燃料をクルマにガソリンと同じように補給する水素自動車で、たとえば、トヨタの燃料電池車「ミライ」などが有名です。

これは、温暖化ガスである二酸化炭素を排出することなく、クルマを動かせるという環境にも配慮されたすごい技術なのです。高原教授は実際にこの反応を活用した3輪自動車を開発中です。

この3輪自動車は、クルマの動力源として水素を利用している原理は「ミライ」と同様です。しかし、高原教授が開発した「水とアルミだけで水素を発生させる装置」を搭載しているという点が違います。

高原教授は、「現代のデロリアン」だと説明していますが、まさに夢のようなクルマですね。

Q　ウソホント　23

『キテレツ大百科』の「かべぬけ服」のように**物を貫通して進む**ことはできますか？

A

半分ホント

限りなく不可能ですが、確率的にはゼロではありません。

マンガ『**キテレツ大百科**』の「かべぬけ服」や『ドラえもん』の「通り抜けキャップ」など、物を貫通して進むことができる、そんなことはほんとうに可能なのでしょうか？

答えは、**「量子力学」では「イエス」、「ニュートン力学」では「ノー」**になります。

どういうことでしょうか？

実は、私たちが今存在するこの世の中には、壁を貫通できる世界があります。

それは「量子」の世界です。

「量子」とは原子や分子、またはそれより小さいサイズの単位のこと。量子の世界とは、私たちの肉眼では見ることができない電子や原子レベルのミクロな世界です。

キテレツ大百科
（1974〜1977年　藤子・F・不二雄作）

発明大好きな小学生・木手英一（キテレツ）が、ご先祖「キテレツ斎」が残した書物『奇天烈大百科』をもとにさまざまな発明品を作っていくことで起きる騒動を描く。キテレツは「かべぬけ服」に土砂崩れで洞窟に閉じ込められた友人たちも入れて脱出した。

そんなミクロな世界では、壁の通過がかんたんにできてしまうのです。

私たちが今存在している世界は、「ニュートン力学」などによって物理現象を説明することができます。

ある質量の物体に、ある方向の力が加わるとどのように物体が動くかが示されたのがニュートン力学です。

シュレーディンガー方程式とは何か？

一方で、ミクロの世界だとニュートン力学で説明がつかなくなります。このミクロの世界は、「量子力学（りょうしりきがく）」によって説明できます。たとえばこの力学で、私たちの目には見えない電子や原子の様子がわかります。

中でも**「シュレーディンガー方程式」**という代表的な方程式があります。この式によると、現象がすべて〝確率〟で示されるということです。

〝確率〟と言っても難しいですね。私たちが日常的にいるニュートン力学の世界では、ある物体はそのときその場所にいます。しかしミクロの世界ではたとえば、電子は、Ａという場所にもＢという場所にも同時に存在する可能性が確率として示されるのです。

ほかにもこんな例を紹介しましょう。

たとえば、ミクロの世界において電子を壁に衝突させます。

私たちが日常的にいるニュートン力学の世界だと、人だったら壁にぶつかって通れず、しかもケガをして骨折や流血してしまいそうですが、**量子力学の世界では、電子は壁の向こう側へ貫通して進むことができます。**つまり、確率がゼロではなく有限値（ゆうげんち）として存在するのです。

これを**「トンネル効果」**と言います。

「それは理論上の世界だけの話じゃないの？」とツッコミを受けるかもしれませんが、そうではありません。

物理学者の江崎玲於奈（えさきれおな）氏が「トンネル効果」を利用した半導体（ダイオード）の開発で、１９７３年にノーベル物理学賞を受賞しました。トンネル効果は、パソコン、スマートフォンなどに使われている半導体電子部品には必ずと言っていいほど利用されている現象です。

つまり、現実にも利用されています。

人間は壁を貫通することができるか？

では、人間は壁を貫通することができるでしょうか。答えは……よくわかりません。さきほど、シュレーディンガー方程式を紹介しました。量子の世界ではありませんが、この式を私たちのリアルな世界に適用できると仮定した場合、人間の体重、衝突するエネルギー、壁の高さ、厚みを決めてあげれば計算することは可能です。

すると、不思議な回答が出てきます。

それは、貫通できる確率はゼロではないこと。たとえば、体重50キロ、秒速1メートル程度、高さ2メートル、厚さ15センチの壁に衝突したときには、貫通する確率は計算機が計算できないほど小さく、**生命が地球に誕生する確率**よりもはるか小さい確率と言われています。

つまり**貫通できる確率は限りなくゼロに近いですが、人間が貫通できる可能性がある**ということなのです。

その前に、その人間は血だらけになってしまうか、壁がボロボロに壊れるかのどちらかでしょうが……。

生命が地球に誕生する確率

約36億年前、地球に初めて生命が誕生した。最初の生命は「海水から生まれた単細胞」と考えられているが、まだ完全には解明されていない。世界的に超著名な天文学者だった故フレッド・ホイル博士によると、地球に最初の生命が偶然生まれる確率は、$10^{40,000}$分の1。$10^{40,000}$とは10×10×10×…というように、10が4万回かけられた数。

Q ウソホント　**24**

宇宙って何があるの？
『ゼロ・グラビティ』
みたいに
ゴミがあるって
ホント？

A

ホント

〇

「宇宙ゴミ」はあり、宇宙ゴミ回収デリバリーも開発中です。

宇宙空間での宇宙ゴミによる惨劇を描いた映画**『ゼロ・グラビティ』**。宇宙空間、「ハッブル宇宙望遠鏡」という人工衛星、スペースシャトル、国際宇宙ステーションISS、そして宇宙ゴミなどが見事に描かれていました。

「宇宙ゴミ」とは聞き慣れない言葉ですが、どんなものなのでしょうか。それを考える前に、そもそも宇宙には何があるのかご説明しましょう。

広大な宇宙には、**「自然」**と**「人工物」**があります。

まず宇宙にある「自然」。自然と言うと、森に生える木々や草原の草などをイメージするかもしれませんが、そうではありません。

宇宙の自然とは、「無(む)」としての宇宙空間、そして「天体」のことを指します。

ゼロ・グラビティ
（2013年　アルフォンソ・キュアロン監督）

猛スピードで飛来してきた宇宙ゴミにより宇宙に放り出されたスペースシャトル乗組員の、地球に生還しようとする試みを描く。作中の宇宙ゴミは、乗組員が船外作業中、ロシアが爆破した自国の衛星の破片。

これらは、〝自然に〟生まれた産物です。「無」とはゴミもチリもない、空気もない何もない空間です。

そして、「天体」は、私たち地球を含むすべての〝星〟のことです。

私たちが「天体観測」と言ったときの「天体」のイメージですね。

前述のブラックホールも天体でした。

では、宇宙には、どれくらいの星が存在するのでしょうか。

オーストラリア国立大学の天文学者（２００３年当時）であるサイモン・ドライバー博士らは「宇宙には７×10の22乗個の星がある」と国際天文学連合で発表しています。10の22乗個とは、億、兆、京（けい）の次の垓（がい）という数の単位になるほどです。論文発表からだいぶ経過していますが、星の数に関する詳細な言及は見当たりません。

ただし、２０１６年にＮＡＳＡが、観測可能な宇宙の範囲において**銀河はおおよそ2兆個ある**と発表しています。

✷「ダークマター」と「ダークエネルギー」の謎

もうひとつ、忘れてはいけない「自然」があります。それは**「ダークマター」**と**「ダークエネルギー」**です。

未知の物質「ダークマター」が宇宙全体の27パーセント近くを占めていて、残りの68パーセント近くが「ダークエネルギー」というもので構成されていると言われています。

しかし、このダークマターやダークエネルギーはいまだに正体不明です。ただし、正体の候補はいくつかはあります。

ちなみに、筆者は学生時代に「アクシオン」というダークマターの候補であった素粒子(そりゅうし)の検出に携わったことがあります。

実は、ダークマターやダークエネルギーが存在しないと、宇宙で銀河の動きなどを理論的に説明できないのです。

たとえば、宇宙には銀河が１００個以上集まった「銀河団（ぎんがだん）」というものがあります。銀河団の中にある銀河はそれぞれ重力（引力）をもっていて、その重力によって銀河同士は近づいていきます。最終的にはくっついてもいいのですが、実際はそれぞれの銀河は自由に動き回っています。

自由に動き回っているのですから、どこかに飛んでいってしまいそうなのに、そうはなりません。なんとも言えないちょうどよいバランスが保たれているのです。

このバランスを保っている力の正体が、見えない何らかの質量であるダークマター、ダークエネルギーなのです。

もし、**ダークマター、ダークエネルギーの正体を見つけられれば、ノーベル物理学賞の受賞は間違いない**でしょう。

地球のまわりの宇宙は人工物だらけ？　だからゴミも⁉

このように宇宙には自然が広がっていますが、地球のまわりの宇宙だけは、「人工物」が数多くあります。その人工物とは、宇宙へ飛ばしたロケットや人工衛星、宇宙ゴミなどです。

ここで突然ですが、みなさんに質問です。

宇宙はどこから宇宙なのかご存知ですか？

実は、**地球の表面から高度100キロ以上を宇宙**と呼んでいます（余談ですが、米軍は高度80キロ以上を宇宙と定義しています）。その地球のまわりの宇宙には、人工物がたくさんあるのです。

人類はこの人工物のひとつであるロケットをなぜ、打ち上げるのでしょうか？それは、ロケットの先端に人工衛星などを載せて宇宙へ運ぶためなんです。

決して、カッコいいからとか、飛ばしてみたいからとかそんな理由ではないのです。

✷ ロケットの一部が月に衝突！

では年間どれくらいのロケットが打ち上げられているでしょうか？

２０２１年には、米国と中国がそれぞれ１年間に50機ほど、欧州とロシアがそれぞれ20機ほど、インド、日本は数機打ち上げています。１年間は52週間ありますから、**１週間に２機以上のロケットが世界のどこからか打ち上げられている**計算になります。

また、ロケットで運ばれた人工衛星は、地球のまわりを回って、天気、災害状況、農作物の状況や世界の動きなどを知るために地球の写真を撮ったり、海の上の船や空を飛んでいる飛行機に通信のために電波を送ったり、車や人などの位置情報を知らせたりしています。

なお、２０２１年12月時点で今まで１万２０００機もの人工衛星が打ち上げられているそうです。

ロケットは、宇宙へ人工衛星を運ぶなどの仕事を終えたあとはゴミとなり、そのまま捨てられます。空から海へと廃棄されるケースもあれば、宇宙空間を数年、数

十年などという長い間漂って大気圏へ突入して燃え尽きるなんてケースもあります。

仕事を終えたロケットの一部が月まで行ってしまい、「月と衝突した」なんてニュースが流れたこともあります。人工衛星もロケットと同じで、打ち上げ後何年かして仕事を終えたり、故障したりするとゴミになります。その多くは、宇宙空間を長い間漂って大気圏へ突入して燃え尽きるのです。

ほかにも、大昔に宇宙飛行士が工具を宇宙空間で手放してしまったなんていうのもゴミと考えられますね。

✷宇宙ゴミの数は1億個超え！

この宇宙ゴミは、どれくらいの数があるのでしょうか。JAXA(ジャクサ)によると、現在地上から追跡されている**10センチ以上の物体で約2万個、1センチ以上は50万〜70万個、1ミリ以上は1億個を超える**と言います。

今、宇宙ゴミが、宇宙ビジネスに関わる人にとって大きな問題になっています。ロケットや人工衛星の破片、隕石(いんせき)が宇宙の軌道に乗って人工衛星や宇宙船にぶつかる可能性が出ているのです。

運悪く当たってしまうと貴重な宇宙船や人工衛星を破壊し、莫大(ばくだい)な損害を出す恐れがあります。

放っておけば地球にいずれは落ちてくるのですが、それまでに何年もかかりますし、宇宙ゴミは動くため、回収が難しいのです。

✷ 宇宙ゴミ回収サービスとは？

ほかにも、ロケットの残骸（ざんがい）と人工衛星が衝突して、微小な宇宙ゴミが発生してしまうケースもあります。

たとえば、２０１３年にエクアドルの小型衛星「ＮＥＥ‐01ペガソ」に旧ソ連ロケットの破片が衝突した事故です。この事故のように、一度宇宙ゴミが宇宙船や人工衛星に衝突してしまうと、衝突した宇宙船や人工衛星から、さらに大小さまざまな宇宙ゴミが発生して、連鎖的に宇宙ゴミが大量発生してしまうのです。

これを、**「ケスラーシンドローム」**と言います。

そこで**現在、宇宙の清掃活動がはじまろうしています。**

たとえば、日本が誇る宇宙ベンチャー「アストロスケール」は、人工衛星が「ゴミがあるよー」と検知すると自動的に宇宙ゴミまで近づくサービスを開発中。検知したあとはゴミにくっついて、いっしょに大気圏に突入して燃やしてくれるのだそうです。まるで宇宙版「ルンバ」のようです。

また、こんな取り組みもあります。

宇宙ベンチャー「エール」とＪＡＸＡが共同で開発中で、仕事が終わった人工衛星が宇宙ゴミとならないように、自ら早めに大気圏へと落ちて行かせるテクノロジーです。

これは、まず人工衛星から紐（電線）が伸び、その紐に電流を流します。すると地球の磁場（１４８ページ）と反応して、地球の方向へ力が働き、大気圏へ向かってゆっくりと動き出す仕組みです。

中学生の理科の教科書に出てきた、ローレンツ力という「フレミング左手の法則」に沿っています。

ほかにも、地球上のあちこちに設置したレーダー（大小さまざまなパラボラアンテナ）で宇宙ゴミの分布や動きを把握してこの情報を販売するビジネスを手がける「レオラボス」という米国の宇宙ベンチャー企業も存在します。

私たち人間が住むところには必ずゴミが発生しますが、地球上に限らず、宇宙でも同じだとわかっていただけたかと思います。

これから我々人類は、月や火星へと行くことになるでしょう。

未来はさらに遠くの惑星へと向かうでしょうから、これらの星もキレイにし、大昔に**ビッグバン**から自然が作り上げた宇宙をキレイなままで後世に残したいですね。

ビッグバン

138億年前、宇宙はある一点に集まっていたが、あるとき、何かの原因で大きな爆発が起こり、この爆発をきっかけに宇宙はものすごいスピードでふくらみはじめたと考えられている。この宇宙のはじまりである大爆発のことをビッグバンと呼ぶ。

Q ウソホント 25

『バイオハザード』のように
人工的に
ウイルスを開発
できる?

半分ホント

無から作ることはできませんが、人工的に合成したりして新しいウイルスを作ることはできます。

日本のゲームが原作の映画『**バイオハザード**』では、作中のガリバー企業アンブレラ社が作ったウイルスによってゾンビ化した生物と主人公が戦います。

『バイオハザード』みたいに、私たち人間は恐ろしいウイルスを人工的に作ることができる」と思う方もいるのではないでしょうか。

たとえば過去にも旧ソ連が天然痘（てんねんとう）ウイルスを大量に製造していたり、マールブルグウイルスを製造していたなどというウワサはあります。ちなみにマールブルグウイルスとは、血液や体液など直接的な経路で感染し、最悪死亡に至ることもあるウイルスです。

しかし、人間はウイルスを「無（む）」の状態からは作ることはできません。

バイオハザード シリーズ
（2002年　ポール・W・S・アンダーソン監督　ほか）

1998年の日本のTVゲーム『バイオハザード』が原作。巨大複合企業アンブレラ社が秘密裏に開発していた「T-ウイルス」が施設内に漏洩したことで生まれたゾンビなどとアンブレラ社の特殊部隊との戦いを描く。

「ウイルスを開発した」というのは、本来はさして害のないウイルスの遺伝子を組み替えて、新しい機能を持つウイルスへと変化させたりすることです。ウイルスのDNAは残しつつ、一部分のDNAを取り外して別のDNAを導入し、置き換えます。そのウイルスを、ウイルスベクターという細胞の中に運んでくれるウイルスによって、感染させるなどです。

新型コロナウイルスが流行りはじめた当初、どこが起源かが話題になりました。ひとつの説が、中国のウイルス研究所において人工的に合成されたウイルス兵器が漏洩(ろうえい)したというものでした。2022年、WHO(世界保健機関)が調査したものの結論が出なかったので、真相は不明ですしよくわかりませんが、さまざまな憶測を呼んだことは確かです。

ウイルスを私たち人類は恐れています。そのため、話題を面白おかしくし誇張し恐怖をあおるさまざまな陰謀論や憶測が出やすい分野でもあります。

しかし、ウイルスは、人工合成、遺伝子組み換えによって作ることはできますが、完全に無の状態からは作れないことは確かです。

Column

今は当たり前のテクノロジー、昔はSFだった！⑤

仮想空間（バーチャルリアリティー）

映画『**トロン：レガシー**』（2010年）は主人公が亡くなった父親を追ううちにコンピュータの世界に偶然入り込みます。ここでは、壮大な仮想空間が描かれています。現在は仮想空間でゲームやショッピングを楽しんだりできます。これからVR機器が進化して、人の五感がリアルに刺激されることで高い没入感を感じて、現実と仮想の境界がさらにあやふやになるかもしれません。

Q ウソホント 26

『アンドリューNDR114』のように
ロボットが子どもを育てる
ことはできますか？

半分ホント

ロボットが生物を育てることはできるが、「子どもを作る」ことはできません。

映画**『アンドリューNDR114』**では、ヒト型家事ロボットのアンドリューが人と愛し合うなどの描写があります。愛し合えるということは、いつかは子どもを作ったりできるようになるのでしょうか。

すでにこんなテクノロジーがあります。

2022年3月に「沖縄美ら海水族館」では、**機械の人工子宮装置を使った深海ザメの胎仔の生育と人工出産に成功**しています。つまり、母親サメのお腹の中ではなく、装置で深海ザメの赤ちゃんを育て、誕生させたという驚くべき世界初のニュースなのです。

人工子宮装置について紹介したいと思います。これはメスがもつ子宮の環境を人

アンドリューNDR114
（1999年　クリス・コロンバス監督）

アンドリューと名付けられたヒト型家事ロボットとリチャード一家の交流を描いた作品。作中でアンドリューは人間と愛し合い、なぜ自分が人間でないのか悩むようになる。

工的に模擬、再現して、その中で、胎仔（胎児）を人為的に育てることができる装置のこと。装置内は海水とは異なる特別に調整された液体で満たされていて、胎仔に最適な環境が保たれています。

ほかにも、2017年に米国のフィラデルフィア小児病院で、子宮を模擬した「バイオバッグ」というプラスチック製の人工子宮で早産のヒツジの生育に成功した例があります。

しかし、このテクノロジーは「ロボットに人工子宮装置を持たせれば、ロボットの人工子宮内で受精でき、子どもを作ることが可能になる」ということではありません。人工子宮以外で受精した受精卵や胎児を人工子宮内に入れて、出生サイズまで生育することができることを意味します。

ロボットは、生命の根源である〝種〟、つまり精子や卵子を作ることはできないので、「人間の子ども」を作ることはできないのです。

✴ 作れなくても人工子宮で育てることはできる？

映画『**アイ・アム・マザー**』では、ロボットが人間により保存されていた胎児を育て、生まれた後も子育てをする未来が描かれています。

では実際、人間が妊娠した後の受精卵や胎児をロボットが人工子宮などで出生サイズまで「育てる」ことは可能でしょうか？

こんなニュースがあります。

２０２１年、中国で人工子宮装置で人間の胎児を育てるロボット乳母「ＡＩナニー」が開発されたそうです。実際にこれで人間の胎児を育てたわけではないようですが、もしそのようなことが行われた場合、国際的な法律に違反すると、物議を醸しています。

各国で実験室でヒト胚を成長させられる期間について以前から法律やガイドラインを制定し、14日間を超えることを禁じてきたからです。

アイ・アム・マザー
（2019年　グラント・スピュートリ監督）

人類滅亡後の地球で、人類復活のため保存されていた胚を「マザー」と言われるロボットが育てるプロジェクトが起動した。誕生した子どもは、「母親」のもと、高度な教育を受けて育っていくが――。

一方で、２０２１年5月に「国際幹細胞学会（ＩＳＳＣＲ）」は、この14日ルールを禁止項目から除外したと報じられています。

もし、これで今後、人間も人工子宮で育てることができるようになった場合、以前は助からなかった生命が救える可能性も出てくる一方で、倫理的な課題もありますね。

✷ 未来はロボットが子育てするかも！

日本の人口は減りつづけていて、２０２２年にはイーロン・マスク氏が「日本はなくなる！」などとツイートして話題を呼びました。未来は今よりさらに子どもの数が減少していることでしょう。

しかし、国として若い世代を生み出すことは必要です。

そのため、出産、育児することで得する未来、そして男女共に活動的に働く未来が望まれます。

となると、家の家事、育児は、ロボットが行うことになるかもしれません。

たとえば、ヒト型で母親をディープラーニングしたロボットが子どもにミルクをあげ、話しかけ、子守唄を歌う未来。

そして、いっしょに机に座って勉強を教え、いっしょに遊び、悩みを話し合うのです。ロボットと子どものやりとりはすべて人間の親にフィードバックされます。

ＡＩやロボット工学がもっと進化すれば、こんな未来も可能かもしれません。

Q ウソホント 27

『パッセンジャー』のように
人工冬眠で
ずっと生きつづける
ことはできますか？

ホント

○

火星移住のために人工冬眠の研究がつづけられています。

映画**『パッセンジャー』**は、宇宙移民のための超大型宇宙船内で５０００人が人工冬眠中、まだ目的地まで90年もかかるのにひとり目を覚ましてしまう主人公ジムの葛藤を描いた作品です。

本来は冬眠しない人間が冬眠したほうがいいと考えられるケースがあります。それは、たとえば火星旅行です。

実は、**「火星移住計画」が現在イーロン・マスク氏らによって進められています。**人々を火星に住まわせて最終的には１００万人以上が暮らせるようにするのが目的のようです。

しかし、現在のテクノロジーでは火星へ到達するのに１８０日ほどかかります。

パッセンジャー
（2016年　モルテン・ティルドゥム監督）

5000人の乗客を乗せ、120年かけて異星の植民地に向かう宇宙船。全員が目的地まで人工冬眠で眠る中、2人の男女だけが90年も早く目覚めてしまう。絶望的状況の中、なんとか生き残ろうと2人は奮闘するが、予期せぬ出来事に襲われる。

宇宙船という狭い空間で180日間も生活するとなると、その分の水や食糧を準備しなければならず、宇宙テクノロジー上無理があるわけです。

そこで、専門家は「人間も人工的に冬眠させたらどう?」と考えました。


では、この「人工冬眠」はどのようなものでしょうか?

まだ、コンセプト設計の段階ですが、大人ひとりが入れる棺桶(かんおけ)サイズのカプセルに寝ころがったり、睡眠した状態で180日間過ごすというもの。そして、寝ている人間の体温を35℃以下にして、人の代謝を極限に抑え、細胞の劣化のスピードを遅らせるのです。

栄養摂取は点滴で補います。

気になるのは、うんちやおしっこですね。

でも、これもちゃんと肛門などに機器を装着してカプセルがうまく処理してくれる設計になっています。

そして火星に着く頃には目が覚めるという具合です。

うーん、ちょっと乗ってみたいかも?

✷人工冬眠を利用すれば100年後に行ける?

現在は、人間と同じく冬眠しない**マウスでの人工冬眠の実験が進んでいます。**

筑波大学と理化学研究所の研究チームは、マウスの脳に「Q神経」という神経回路を発見しました。

このQ神経を興奮させると、マウスは体温や代謝が数日の間、著しく低下することがわかったのです。

2020年、マウスを人工的に冬眠させることに成功しました。

これで、人間でも冬眠へと誘導できる可能性が高まりましたが、まだハードルは高いのが現状です。人間を含めたほ乳類の多くは、体温を37℃前後に保とうとするからです。

でも、もし未来に人間が冬眠できるようになったら、どんな世界が待っているでしょうか。

まず、救急搬送や集中治療、全身麻酔、臓器保存・再生医療といった医療の現場で活用され、今よりも多くの命が助かる可能性が増えたり、後遺症が残るリスクも大きく減ったりすることが予想できます。治療中の人の体温を低温にすることで組織や細胞が壊死（えし）するのを防げるからです。

実際、人の心臓血管手術で必要となる循環停止においても、20℃以下の超低体温にする代わりに人工冬眠は有効だとの研究成果もあるのです。

また、もうひとつ。人生のひとときを人工冬眠で過ごす選択肢が出てくると思うのです。体を低温にすることで体の老化の進行を抑えられるからです。

つまり、リフレッシュ休暇ならぬ、**人工冬眠休暇というものが世の中の主流になったりするかもしれません。**

ほかにも、人工冬眠はタイムマシンとして活用できるかもしれません。

人工冬眠をして何年も何十年も何百年も眠りつづける……。マンガ『望郷太郎』のような世界観。目が覚めれば、歳は取っていますが、老化もしていない状態で未来へと行けるわけです。

２０４０年以降には人工冬眠が可能になるかもしれません。私は人工冬眠休暇をとってみたいです……。

望郷太郎
(2019年～　山田芳裕作)

商社マンの舞鶴太郎（まいづるたろう）は、世界的な大寒波から逃れるため人工冬眠に入った。それから500年後の世界で目を覚ます。愛する妻も子も失い、文明が崩壊した世界で、舞鶴は故郷の日本をめざす。

Q ウソホント 28

『スパイダーマン2』
のように
核融合で
大きなエネルギーは
得られますか？

A

ホント

○

地上で太陽と同じ反応を起こすことでエネルギーを得る核融合エネルギーを開発中です。

映画『**スパイダーマン2**』ではオクタビアス博士が核融合の公開実験を行い、1000メガワットという莫大なエネルギーを生み出していました。

実際、核融合では大きなエネルギーを得られるのでしょうか？

私たち地球上の生物に、温度、光合成、オーロラなどさまざまな恵みを与えてくれている太陽は、水素ガスが核融合反応を起こして光を放っています。

太陽の水素ガスはおおよそ50億年はもつと言われていますが、この水素ガスがなくなれば太陽は星としての一生を終えることになり、**恵みの太陽がなくなると人類滅亡の危機**となります。

スパイダーマン2
（2004年　サム・ライミ監督）

2002年にはじまったサム・ライミ監督によるシリーズ3部作の第2作。本作では主人公ピーターが尊敬する科学者オクタビアスが核融合の実験を行い強大なエネルギーを得たものの、実験中の事故で凶悪な人間となってしまう。

そこでその太陽のようなものを地球上に作り、そこからエネルギーを得ようというのが「核融合発電」です。

では、地球上で核融合はどのように作っていくのでしょうか。

一番研究が盛んに行われているのは、**「トカマク型」という「ドーナッツ形のプラズマ」を作るもの**です。プラズマとは、固体、液体、気体とは別の状態を示す物質の第4の状態と言われるもので、ガスが電子とイオンに電離し、電気的には中性になっている状態のことです。

このプラズマを作る燃料に「重水素（じゅうすいそ）」や「三重水素（さんじゅうすいそ）」という水素の仲間を使うことが検討されています。核融合を起こすためには、この重水素と三重水素を衝突させる必要があります。

重水素は海水からとることができるのでたくさんあります。三重水素はリチウムという物質から作り出せます。リチウムはスマートフォンなどの電池として使われていますが、鉱山や海水中にたくさんあります。

つまり、**核融合は海水からでもエネルギー抽出できるうえに、放射能もさほど出ずに、クリーンなエネルギーを得ることができる**ので大きなメリットがあります。

✷ 核融合発電はなぜ難しい？

しかし、核融合の研究開発がはじまってから、おそらく数十年以上は経過していますが、まだ核融合発電は実現していません。

では、核融合反応はなぜ難しいのでしょうか？

それは、核融合反応を起こさせるプラズマの温度が上がるにつれて、ドーナッツ型がすぐに壊れてしまう現象が確認されているためです。つまり、連鎖的に核融合反応を起こすことができていないので、発電できないのです。

しかし、プラズマが壊れる前の核融合反応からエネルギーを得て発電しようという「ヘリオン・エナジー」という米国のベンチャー企業も存在します。彼らの方式は、先ほど紹介したトカマク型ではなく「ＦＲＣ（磁場反転配位）」というタイプを採用し、ほかにもユニークなテクノロジーを取り入れています。

ほかにも球状トカマク、レーザー核融合などさまざまな方式で、核融合発電の実現に向けた研究が進められています。

✸ 核融合発電が原子力発電とは違うわけ

3・11の「東日本大震災」で起きた東京電力福島第一原発事故。これは日本はもちろん、世界中に衝撃を与えました。

原子力発電が恐れられるのは、核分裂という反応の際に中性子（放射能）が大量に出るためです。しかも中性子の連鎖反応が起きると制御することが難しく、暴発する恐れもあります。中性子は貫通力も強く、遠くまで届きます。

そのため広範囲にわたって被ばくし、人命まで危険にさらされてしまうのです。

福島原発の周囲が何キロにもわたって立ち入り禁止区域になってしまったのは中性

子のせいです。

しかし、核融合反応は、この原子力発電の核分裂反応とはまったく異なります。核融合反応において中性子という放射線は発生しますが、この中性子は暴発しないという点です。近づけば被ばくする点は同じですが、連鎖反応はなく自然と収まるのです。

しかし、「放射能」という言葉に敏感に反応してしまうことは否めないので、核融合発電についてどのように多くの国民に理解を深めていくかが、今後の鍵になってくると思います。

Q ウソホント 29

『太陽は動かない』
に出てきた
宇宙太陽光発電は
近いうちに実現する？

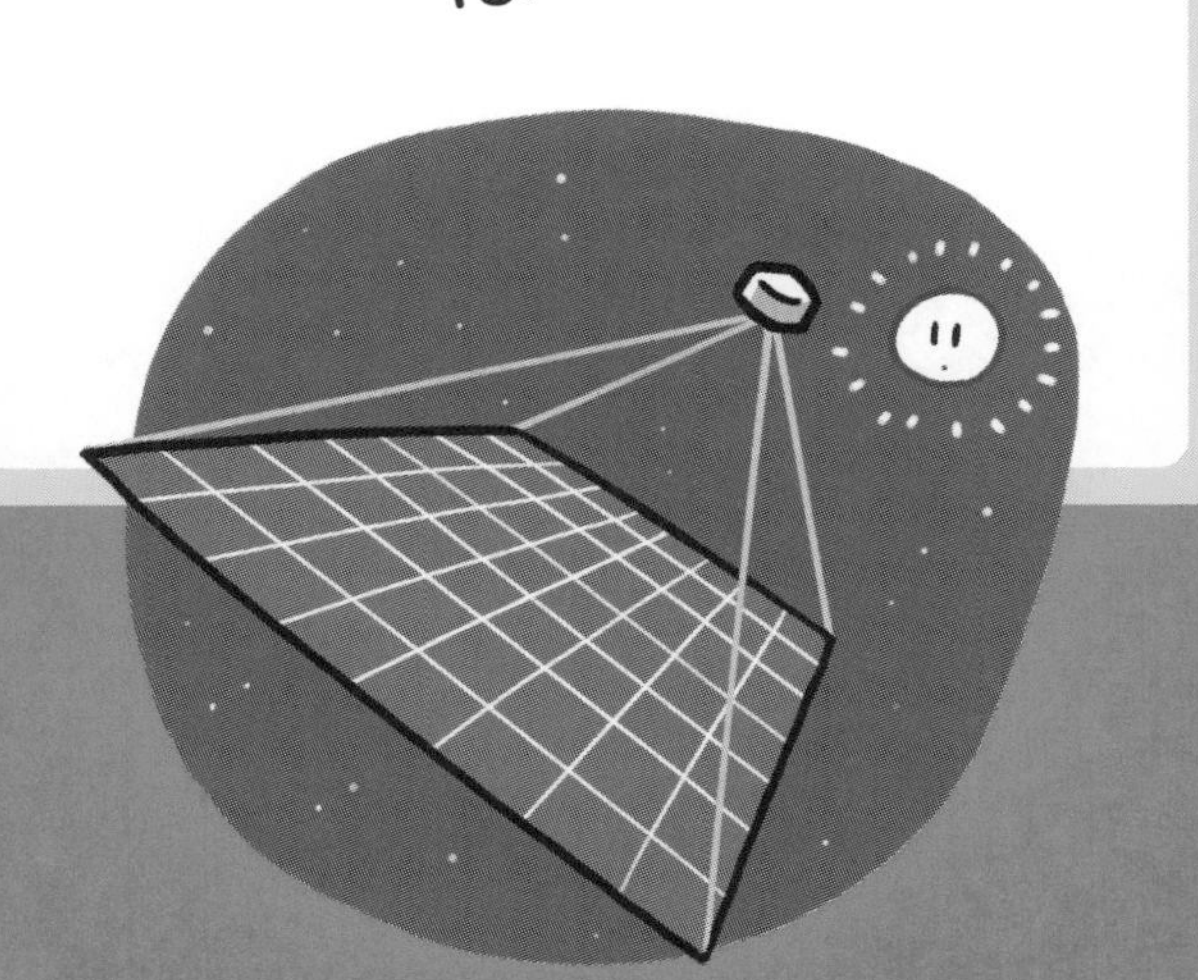

半分ホント

先になるが夢のような計画が進行中！

映画**『太陽は動かない』**は、宇宙太陽光発電である次世代エネルギーを巡って産業スパイが攻防をくり広げる話ですが、実際に、宇宙で非常に大規模な発電システムを作ろうという試みがあります。

226ページでは「核融合発電」についてご紹介しました。新しいエネルギーの開発は人類にとって悲願なので、さまざまな発電方法を研究中なのです。

日本では東日本大震災の後に電力不足に備えて、「計画停電」が行われたことがありましたが、そのような電力危機がなくなれば安心ですよね。

ここでご紹介するのは「宇宙太陽光発電システム「SSPS（Space Solar Power

太陽は動かない
（2021年　羽住英一郎監督）
原作は吉田修一の小説。秘密組織「AN通信」のエージェント・鷹野と田岡が、全人類の未来を握るという次世代型太陽光エネルギーの技術を巡り、戦いをくり広げる。

System)」です。

「ＳＳＰＳ」のメリットはまず、太陽光を利用し化石エネルギーを使わないため、発電するのに二酸化炭素が排出されない**「ゼロカーボンであること」「将来にわたり枯渇しないエネルギー源であること」**などが挙げられるでしょう。

さらに、宇宙に発電システムを作るわけですから、**天候や昼夜を問わず発電できて安定的な電力を得られる**点もメリットです。

「ＳＳＰＳ」は、高度３万６０００キロの静止軌道（せいしきどう）に大規模な太陽電池を設置し、発電させます。その発電した電気をマイクロ波やレーザー光に変換して地球へ送り、地球の受電アンテナ（レクテナ）で受電し、その受電したエネルギーを再度電気へ変換して利用するというものです。

この「ＳＳＰＳ」の規模はどれくらいになるのでしょうか。

たとえば、宇宙空間の太陽電池を、１００万キロワット級の原子力発電所と同等だと仮定しましょう。

すると宇宙空間には約２キロ四方の太陽電池パネルを展開しなければならなくな

ります。そして地球では、宇宙から伝送されるハイパワーなマイクロ波を受電しなければなりませんから、アンテナは直径4キロの規模になります。

受電施設からは、パイロット信号が宇宙空間の太陽電池側に向けて送信されますが、太陽電池側ではこのパイロット信号を受信していないときには、人や建物などに当たると大変なことになるマイクロ波やレーザー光を地球へは伝送しないなどの安全設計もなされています。

✷ 宇宙太陽光発電システムは夢の計画⁉

しかし、実現には課題がたくさんあります。

それは、技術的な課題、コスト面の課題です。

まず、マイクロ波は、人の健康へ何らかの害があると言われています。

そして、宇宙から地球の地上へとマイクロ波を送るときに、途中の人工衛星、航空機、電子機器等への影響を与えてしまうのではという心配もあります。さらには、宇宙空間で、「ＳＳＰＳ」が宇宙ゴミと衝突したり、太陽フレア等によって壊れたりする可能性も否定できません。

また、運用が終了した後の対策も課題です。これほど巨大な人工物をどのように廃棄すればいいのでしょうか。運用をできるかぎり長くできるような技術や再利用する技術についても検討が必要でしょう。

一方で、現在、**日本では夢の計画が進行しています。**おそらく世界で日本だけでしょう。

どういう計画か説明しましょう。

経済産業省が「ＪＳＳ（一般財団法人宇宙システム開発利用推進機構）」を受託企業として、大型宇宙構造物の構築技術に関する軌道上実証システムの基本設計を完了しました。そして、２０２１年以降は、実用化に向け、発送電一体型パネルの開発やマイクロ波無線の送受電技術に関わる送電部の高効率化等を行うというものです。

この計画では、将来の長距離大電力無線送受電技術への進展を図るとともに、これらの技術の他産業へのスピンオフをめざしているそうです。

また、「ＳＳＰＳ」の研究開発ロードマップも公表され、２０３０年代を宇宙実証フェーズ、２０４５年以降を実用化フェーズと位置付けているとのこと。

２０５０年あたりには、新エネルギーである「ＳＳＰＳ」が実用化されているかもしれません。

地球上に発電施設が不要になるなど、そんな未来がもしかしたら来ることもあるかもしれませんね。

Q ウソホント 30

『The One：導かれた糸』のように科学的に運命の相手を見つけられますか？

A

遺伝子的な視点で相手を選ぶという サービスがすでにあります。

海外ドラマ『**The One：導かれた糸**』は、遺伝子学者が遺伝子からたったひとりの運命の相手を見つけるテクノロジーを発見し、遺伝子レベルで男女をマッチングさせるビジネスをはじめて、そこでのさまざまな人間模様が描かれます。

「でも遺伝子で運命の相手を見つけるなんて、ドラマの世界だけの話じゃない？」

そう思われた方も多いことでしょう。

実は、このドラマのようなサービスはすでに開始されています。

たとえば、日本の結婚情報センターの「ノッツェ」は、「DNAマッチング」というサービスを開始しています。これは自分の**「恋愛遺伝子」を検査してもらい、**

The One：導かれた糸
（2021年　イギリス）

DNA的に恋に落ちる相手を発見する方法を遺伝学者が発見、それをもとにDNAマッチング事業を創設するが、離婚の急増やそれにともなう政府による審査など、さまざまな問題が巻き起こる。

自分と相性のよい相手をマッチングしてもらうものです。恋愛遺伝子は「HLA遺伝子」と言い、これは男女の相性に関係する遺伝子とされています。

また、遺伝子検査会社の「DNA FACTOR」では、コンテンツ会社「メディア工房」と協力して恋愛遺伝子占い「愛カギ」を発売しています。サイトから申し込みをすると、自宅に検査キットが届きます。専用の綿棒で口腔内(こうくうない)の細胞を採取し、検体を返送すれば、後日検査結果が届くというサービスです。

この遺伝子検査では、人の3つの遺伝子「BDNF」「NRXN1」「rs180」を調べます。BDNFは「メンタリティやポジティブマインド」、NRXN1は「人に対する好奇心」、rs180は「人間関係上の報酬依存性」を示し、それぞれ調べられるとのこと。この検査結果と占いデジタルコンテンツを手がけるメディア工房のノウハウを融合させるのです。

ほかにも「ジーンパートナー」というスイスの企業も、DNAによる相性を調べられるマッチングサイトを運営しています。日本向けにもサービス展開しています。

しかし、遺伝的相性がよいというだけで必ずしも好きになるとは限りませんよね。

AIによるマッチングはもうはじまっている！

遺伝子以外に、行動や見た目の好みで判断する「AI婚活」サービスもあります。結婚相談所連盟は、東京大学と共同で「AIマッチング」というサービスを展開しています。

これは2つの機能があり、ひとつはAIがあなたの好みの顔の相手を分析し、紹介する「AIルックス」というもの。もうひとつは、過去のお見合いデータなどの活動履歴をディープラーニングして、相性がよさそうな相手をピックアップして紹介する「AIヒストリー」という機能です。

また、結婚相談所「パートナーエージェント」はgooのAIを活用して「シーゲル」というAI婚活サービスを提供しています。そこでは、会員の職業・年収・趣味・結婚生活への期待など数多くのことが考慮されたり、マッチング度をランキング形式で示されたりするそうです。

このようにＡＩは、あなたのプロフィールや相手の好みなどを把握することはもちろんですが、ほかの人間の行動も**ビッグデータ**化してるため、婚活を実現するまでの行動パターンも提案してくれるのです。

もし、ＤＮＡやＡＩで相性のよい運命の人が見つかったものの、別の大好きな人と恋愛中だったら、あなたならどんな決断をしますか？

おそらく、合理的な選択をしない人のほうが多いでしょう。

テクノロジーの進歩はすばらしい一方で、恋愛感情などの複雑な感情は人間ならではのものなのです。

ビッグデータ

従来のデータ管理などでは記録や解析が難しい、巨大なデータ群のこと。数字だけではなくテキストや画像、音声など、さまざまな形式のデータを含む。

おわりに

お読みいただきありがとうございました。本書はいかがでしたでしょうか？　ＳＦ世界のテクノロジーが実現する未来が来ている、とワクワクされた方も多いかもしれません。

今回の企画では、なんとしてでも「科学の楽しさ」を伝えたいと思い、執筆にはとても苦労しました。

なにしろ、私の経歴は誰が見ても、社会通念上は「カタい」のです。このカタい印象をくずさないように、これまで出版させていただいた書籍もカタイ感じに仕上げたものが大部分です。

なので、苦労したのは、ひとつは学術論文のような文章に慣れている私が、一般書としてのカタくない文章を書くこと。２つ目は理系の文章として正確性を失わずにかんたんな表現で伝えること。わかりやすく断定の言葉で言い切れるのか？　この表現は科学的に正しいのか？　などと悩んだものです。

そして、こんな文章でみなさんは納得してくれるのだろうか。専門家や精通されている方からのご指摘やツッコミを受けるだろうか。齊田って工学博士をもってるのに大丈夫かよ？　って言われるんじゃないか、そう考えたりもしました。

しかし、そのようなことをいったん振り切って、多くの方に「楽しんでもらう」ことだけに主眼を置こう、そんな気持ちで執筆に集中したのです。

もし、みなさんに「楽しかった」「面白かった」と言っていただけるのであれば、私もとても苦労した甲斐（かい）があって大変ありがたいです。

また次のステップに進み挑戦できます。

このような機会をいただき、私の初チャレンジにも根気強くご対応いただいた飛鳥新社さんには心から感謝申し上げます。

そして、みなさんに未来への希望を少しでも感じていただければこれ以上の幸せはありません。

齊田興哉

齊田興哉（さいだ・ともや）

東北大学大学院工学研究科 量子エネルギー工学専攻 博士課程修了、工学博士。

JAXA（宇宙航空研究開発機構）に就職。当時、日本最先端の技術と性能を持つ人工衛星の開発プロジェクトチームへ配属され、人工衛星の設計フェーズ、打ち上げ、運用までを２機経験した。

その後、日本総合研究所へ入社。宇宙ビジネスのコンサルティングに従事し、政府事業や民間企業を支援したのち独立。

NHK、ABEMA Prime、毎日放送『せやねん！』などのテレビ番組に宇宙ビジネスの専門家として出演。

著書に『最新宇宙ビジネスの動向とカラクリがよ〜くわかる本』（秀和システム）、『ビジネスモデルの未来予報図 51』（CCCメディアハウス）などがある。

そろそろタイムマシンで未来へ行けますか？

2023年　3月31日　第1刷発行

著　者　齊田興哉

発行者　大山邦興
発行所　株式会社 飛鳥新社
〒101-0003
東京都千代田区一ツ橋 2-4-3　光文恒産ビル
電話（営業）03-3263-7770（編集）03-3263-7773
http://www.asukashinsha.co.jp

装　丁　井上新八
カバーイラスト　ぽんすけかいかい

印刷・製本　中央精版印刷株式会社

ISBN978-4-86410-947-5

編集担当　江波戸裕子